QUELQU'UN

De la même auteure :

Robe et abrupt rocheux, préface de Pierre Bertrand, Laval, Claude Drouin éditeur, coll. « La Partance », 2013.

SYLVIE GENDRON

Quelqu'un

nouvelles

L'instant même

Maquette de la couverture : Anne-Marie Jacques
Illustration de la couverture : Treacy Ziegler, *Room By the Sea,* huile sur panneau, 25x18,5 po. Reproduite avec l'aimable autorisation de la Odon Wagner Gallery de Toronto.
Mise en page : Anne-Marie Jacques

Distribution pour le Québec : Diffusion Dimedia
539, boulevard Lebeau
Montréal (Québec) H4N 1S2

Distribution pour la France : Distribution du Nouveau Monde

L'instant même
865, avenue Moncton
Québec (Québec) G1S 2Y4
info@instantmeme.com
www.instantmeme.com

Dépôt légal – Bibliothèque et Archives nationales du Québec, 2014

Catalogage avant publication de Bibliothèque et Archives nationales du Québec et Bibliothèque et Archives Canada

Gendron, Sylvie, 1964-

    Quelqu'un

    ISBN 978-2-89502-352-4

    I. Titre

PS8613.E538Q44 2014   C843'.6   C2014-940883-8
PS9613.E538Q44 2014

L'instant même remercie le Conseil des arts du Canada, le gouvernement du Canada (Fonds du livre du Canada), le gouvernement du Québec (Programme de crédit d'impôt pour l'édition de livres – Gestion SODEC) et la Société de développement des entreprises culturelles du Québec.

À Pierre

Les petites choses sont l'éternel, et le reste, tout le reste, le bref, le très bref.

Antonio PORCHIA.

Une sur trois

Christine est une femme attachante. Non pas parce qu'elle est parfaite, mais précisément parce qu'elle ne l'est pas, ne fait jamais semblant de l'être ni même d'aspirer à le devenir. La *quête de perfection* à laquelle souscrivent – *ô courageusement !* – quelques-unes de ses plus chères amies : pas son truc. Christine connaît ses limites. Elle rate tous ses gâteaux, a des menstruations impossibles, des saignements impromptus, tache abondamment les draps de ses amants de passage, et n'a jamais su embrasser. Elle fait pourtant de son mieux, Christine. Son indice de masse corporelle défie les lois de la relativité. La physique : pas son truc. Quant à son quotient intellectuel, Christine connaît ses limites. Ne cherche pas à les dépasser. Ni à dépasser personne d'ailleurs. L'ambition : pas son truc. Pourtant, légèrement au-dessus de la moyenne, le quotient, mais rien qui vaille la peine d'effectuer de savants calculs. Christine, qui a du mal à couper une tarte en deux parties égales, s'étonne secrètement de ce score, car si elle a appris à dresser à peu près correctement la table, elle n'a jamais obtenu autant de succès avec les tables de multiplication. Enfin, le score est là, au-dessus de la moyenne. Les tests des magazines doivent bien dire un peu la vérité… Mais bon, Christine connaît ses limites.

Ne cherche pas à les dépasser. Ni à dépasser personne d'ailleurs – *Exit ! le corps et le QI de Sharon Stone.* Pierre qui roule n'amasse peut-être pas mousse, mais, voilà le hic, Christine, elle, ne roule pas – sauf dans l'herbe parfois avec Unica ou dans les bras de ses amants de passage. Alors la mousse s'est amassée : autour des cuisses d'abord, sur les fesses ensuite, sur le ventre pour finir. Mais comme sa petite Unica est sortie de là – *ô une vraie beauté, presque parfaite,* s'étaient exclamées ses courageuses amies ! –, Christine accepte ses rondeurs comme un doux souvenir, et ses amants de passage font généreusement de même. Quant à son pubis, c'est un *triangle quelconque.* Christine ne s'en formalise pas. Ne fait jamais de test sur lui. Ne rêve jamais d'un *isocèle* ou d'un *scalène.* Elle connaît ses limites. En fait, dans toute sa vie, seuls ses seins ont connu la perfection. Deux cercles parfaits, de vraies *sphères célestes* qui ont conduit ses amants de passage et la petite Unica au septième ciel – *ô la voie lactée !* Ses amants ne lui en ont donc jamais voulu – pas pour le septième ciel, bien sûr, mais pour les gâteaux ratés, les draps tachés, le *triangle quelconque,* les baisers maladroits et… le port du condom. D'honnêtes hommes, quoi – *pas parfaits, mais honnêtes.* Conscients qu'il y a des limites à tout et pour tous. Pas que pour Christine. On ne badine pas avec la vie. *Deadline* oblige. On la reçoit d'abord. Toute une aubaine puisque la vie n'a pas de prix ! On la prend comme elle est. On accepte ce qu'elle nous donne et ce qu'elle nous enlève. Pour certains, ce sont les dents de sagesse – *ô c'est douloureux !* Pour Christine, ce fut une de ses deux sphères célestes. Ce jour-là, le ciel s'est assombri. Qu'est-ce qu'elle pouvait faire, Christine ? Pleurer, crier, hurler tous les autres jours de sa vie ? Oublier la petite Unica, ses amants de passage, le septième ciel – *ô impossible !* Christine n'est pas qu'attachante. Elle est surtout attachée aux autres et à la vie terrestre. Coûte que coûte.

Aubaine ou pas. La quête du bonheur parfait : pas son truc. Ses jours et ses nuits ont donc repris leur cours et leur course. Ses amants de passage continuent de lui offrir le septième ciel, une sphère en moins. Elle reçoit même ces mots en prime, entre deux étoiles – *ô Christine, tu es douée pour le bonheur !*

La connaissance de soi, on la fait un peu partout dans la vie. Pas que dans les magazines. Ces beaux bras-là devaient bien dire un peu la vérité… Mais, voilà le hic, Christine n'est pas toujours dans les bras de ses honnêtes hommes. Elle connaît ses limites, Christine. Toute bonne et belle chose a une fin. Le temps des étoiles filantes aussi. Elle travaille donc sur terre, Christine. D'arrache-pied. Debout, derrière une caisse enregistreuse. Cinquante semaines par année. Elle se donne, Christine. Le corps et l'âme. Le sourire aussi. Elle ne lésine pas sur le sourire. C'est une aubaine. À sa caisse, avec un seul de ses sourires, elle en fait fructifier des dizaines sur les lèvres de ses clients. Les jours où elle n'a pas envie de sourire, oui, cela arrive, elle pense à sa petite Unica. Le sourire revient tout seul. Sans effort. Toute une aubaine ! Unica a six ans – *ô six ans, ma chérie, un chiffre parfait !* Car Christine se souvient au moins de cette leçon qui lui avait cloué le bec : $1 + 2 + 3 = 1 \times 2 \times 3$. Alors, cette année, elle essaie d'apprendre à Unica les rudiments de la perfection. Elle n'en fait pas une obsession. Elle donne tout simplement les leçons qu'elle peut donner. Comme toutes les mamans. Pas davantage. Elle connaît ses limites. Elle apprend à Unica comment faire des gâteaux imparfaits, comment dessiner de son mieux des triangles isocèles et scalènes, comment découper des tartes en deux parties à peu près égales, comment retenir pour s'amuser quelques tables de multiplication, enfin toutes ces petites choses que ses amies – *ô courageuses !* – jugent si importantes. Parce qu'elle ne veut pas les perdre, ses amies… – *ô ce serait trop douloureux !*

Mais Christine parle surtout de l'importance d'aimer la vie et les aubaines en général, car si la vie pousse dans les arbres, ce n'est pas vrai pour l'argent. *Prends ta maman, tiens, elle travaille fort, la maman d'Unica, mais elle n'a pas beaucoup de sous. Pourtant, elle est très heureuse. Elle n'est pas parfaite, mais elle est très heureuse. Ma petite Unica, accueille tout ce que la vie te donne et accepte tout ce qu'elle t'enlève. C'est ça, être doué pour le bonheur.* Christine ne dit jamais ces choses à haute voix. Non, elle les prononce à marée basse à l'oreille d'Unica quand celle-ci est dans les bras de Morphée. Dans ces bras-là aussi, on peut apprendre beaucoup de choses sur la vie et sur soi-même. Et parce qu'elle n'aime pas la tristesse, Christine, elle n'insiste pas sur ce que la vie peut nous enlever. À voix douce, elle parle surtout de vacances. Pas de vacances parfaites. Mais des vacances de rêve tout de même. Et bien que l'oreille d'Unica ressemble à un coquillage divin, Christine résiste à l'envie de parler de la mer. Elle connaît aussi les limites de son budget. Alors, le soir, à l'oreille d'Unica, elle parle, elle parle… d'un lac et d'un petit chalet en bois rond où elles iront toutes deux passer cinq jours.

À l'heure du souper, la petite Unica commence à demander *Quel jour on part pour le chalet, maman ?* Christine a donc la certitude qu'un article lu dans son magazine préféré disait la vérité – *Les enfants entendent ce qu'on leur dit quand ils dorment.* Elle ne va pas se mettre à hurler sur les toits, comme toutes ces femmes dont elle ne voudrait pas pour amies, qu'elle a une fille surdouée. Unica est normale. C'est tout. C'est déjà beaucoup. Unica entend simplement, comme tous les enfants peuvent le faire, ce qu'on lui murmure à l'oreille quand Morphée la serre dans ses bras.

Enfin, le jour J est entré par la plus grande porte qui soit, celle de la réalité. Christine et Unica roulent, eh oui ! Elles roulent en autobus, avec la mousse autour des cuisses, des fesses et du ventre, mais pas des valises – elles n'ont pas beaucoup voyagé, ces valises. La mère et la fille arrivent à destination. Le chalet et le lac n'ont pas bougé. Ils sont comme sur la photo de l'annonce. Le septième ciel ! *Je vais te réveiller cette nuit, Unica, pour te montrer les étoiles. Tu pourras venir sur la galerie dans les bras de Morphée.* Unica sourit. Elle aussi est douée pour le bonheur. C'est le plus beau gène que Christine lui a transmis. Rien à voir avec les mutations BRCA1 et BRCA2. Ces saletés !

Unica joue avec les grenouilles et leur explique, comme si elle parlait vraiment à quelqu'un, que même si elles perdent une cuisse, elles peuvent *encore* être très heureuses si elles sont douées pour le bonheur. Cette fois, c'est Christine qui sourit, assise sur la galerie, devant le lac. Elle tire de son sac l'unique magazine féminin qu'elle s'est offert pour les vacances. Elle va se détendre, Christine. *Tiens, un test sur la santé. Pourquoi pas ? C'est précieux, la santé, c'est une aubaine.* Elle saisit son stylo. Répond sans hésiter aux neuf premières questions. Elle aime ça, Christine, les tests. Elle obtient généralement des scores acceptables. Pas parfaits, mais honnêtes. Dernière question : « Au cours de sa vie, une femme sur neuf souffrira d'un cancer du sein. Combien en mourront ? » *Quelle déprimante question pour un test de vacances !* Christine lève les yeux vers Unica. Cette fois, la conversation avec les grenouilles semble bien engagée. *Quoi ? Si on vous coupait la tête ? Oh là là ! il faudra que je demande à ma mère si vous pourriez encore être heureuses...* Christine garde la tête froide. Conserve son optimisme. Se replonge dans son magazine : *a) Une sur cent ; b) Une sur vingt ; c) Une sur trois.* Après tout, ce sont les vacances : elle dessine une sphère parfaite autour de la lettre *a)* avant de consulter la grille correctrice. Elle a presque tout bon, Christine. Son score : 90 %. Elle a perdu dix points à la

question 10. *La bonne réponse est c).* Elle referme doucement
son magazine préféré. Elle se sent un peu perdue, Christine. Pas
à cause des dix points, bien sûr. Christine est bonne perdante.
Elle en a vu d'autres. Non, Christine se sent perdue parce qu'elle
ne sait pas encore ce qu'elle répondra à Unica au souper lorsque
celle-ci lui demandera si les grenouilles à la tête coupée peuvent
être heureuses. Christine ferme les yeux. Elle s'imagine sans
peine dans les bras de quelqu'un. Soudain, elle entend une voix
à marée basse – *ô Christine, tu es douée pour le bonheur.*
Voilà sa seule vérité, sa seule réponse parfaite. Christine croit
à sa bonne étoile et surtout, surtout à celle de sa petite Unica.
Christine croit, pour elles deux et pour toutes les grenouilles
de la biosphère, au septième ciel – *Ma chérie, les grenouilles
savent garder leur sang-froid : elles sont comme toi et moi
douées pour le bonheur, quoi qu'on puisse leur enlever.*

N.D.A. : La proportion d'« une sur trois », réellement trouvée dans un magazine
féminin au début des années 2000, était et demeure inexacte et, surtout,
inutilement alarmante.

Dernière séance

Novembre 2006

Dans la pénombre de la chambre, une douce lumière, celle du simulateur d'aube, éclaire progressivement un homme et une femme échoués sur des draps d'un bleu océanique. Au-dessus du grand lit, une gravure de Chagall, *Couple*. Sur le lit, la femme nue, c'est Isabelle. Corps élancé. Peau nacrée. Psychanalyste brillante. Spécialiste des deuils pathologiques et des conduites suicidaires. L'homme nu, enroulé autour d'elle comme une algue, c'est Luc. Endocrinologue. Spécialiste des hormones du désir et de celles du sommeil. Corps vigoureux. Peau velue. Luc n'a jamais si bien fait l'amour que depuis qu'il a cessé de travailler. Il faut toutefois excepter les premiers mois de cette retraite prématurée. Le couple a alors frôlé le naufrage. *Scènes de la vie conjugale.* Sans le génie de Bergman. *Coupez. On reprend. Coupez.* Trop fragile talent pour la querelle de ménage ayant culminé un soir dans un fracas de porcelaine et une violente vague verbale. Depuis, le calme est revenu. Mieux encore, le bonheur. Avec ses crêtes et ses creux. Mais Isabelle sent bien que du côté de Luc, le mot bonheur ne suffit plus. Luc est plus fougueux que jamais. Au lit comme dans la vie. Il tournoie dans la maison comme un fou de Bassan, dissimulant à grand-peine la joie qui l'anime. Joie égoïste, pense Isabelle, qui, de son côté, a plutôt ces jours-ci le vague à l'âme. Luc devrait pourtant le deviner, le comprendre, lui reproche-t-elle intérieurement. Elle accueille donc dans un mélange d'amertume, d'envie et de gratitude résignée l'écume de la libido débordante de son amant. Après l'amour, ces dernières nuits, l'animal triste, c'est Isabelle. Mais elle ne dit mot, et consent, les yeux mi-clos entre deux vagues d'hormones et de sommeil, à se laisser entraîner vers le large.

Hier soir, les vieux amants ont célébré les soixante ans de Luc avec un succulent plateau de fruits de mer et un cru classé, *Lampe de Méduse,* clin d'œil de leur fils océanographe – la maison en est pleine, comme s'il ne l'avait jamais quittée. Isabelle avait enfilé sa robe sirène turquoise et mis son rouge Guerlain. Son adolescence tumultueuse, sa grossesse et son accouchement difficile, le temps qui a passé, le travail phénoménal qu'elle a accompli, tout cela ne semble avoir eu aucune prise réelle sur son corps. À part quelques rides et la saillie, plus érotique qu'inesthétique, de sa veine frontale, le visage d'Isabelle n'a pas changé non plus. Et pourtant, dans quelques jours, elle célébrera elle aussi ses soixante ans et la fin de sa carrière. C'est ce dernier point qui l'attriste. Depuis 2003, elle n'a accepté aucun nouveau patient, travaillant à mener à bon port les cures entreprises quelques années plus tôt. Elle a aussi assuré le délicat passage de certains patients de son divan à celui de Jeanne, psychanalyste de talent, amie généreuse de quinze ans sa cadette, perle de culture. Isabelle recevra encore deux patients qui vivront, dans une joie mêlée de tristesse, leur dernière séance. Ils y sont préparés, autant qu'on puisse l'être, la guérison psychique étant toujours accompagnée de douleur – phénomène largement documenté dans la littérature analytique. Isabelle redouble d'attention et dénoue, avec l'art dont tout bon analyste a le secret, les liens qui se sont créés entre elle et ses patients, évitant ainsi de réveiller les monstres marins, parmi lesquels le plus horrible : l'angoisse de séparation. Mais même si Isabelle a su endormir tous ces monstres, elle n'a pas ces jours-ci le cœur à danser sur les flots.

Mars 2003

Luc perd son emploi. Le laboratoire privé qui l'employait ferme ses portes afin d'éviter la faillite. Si Isabelle a de la compassion pour les plus jeunes employés, elle ne cache pas à Luc le soulagement qu'elle éprouve pour lui, qui avait perdu toute passion pour son travail. Elle appréhende toutefois qu'il ne la harcèle pour qu'elle prenne une retraite anticipée. Et ce qu'elle redoutait se produit. Elle oppose d'abord un refus humoristique, mais se rend vite compte qu'il faudra à Luc plus que quelques mots d'esprit pour se décourager. Tenace, entêté, il lance sa ligne à l'eau plusieurs fois par jour. Il s'ennuie, répète-t-il. Isabelle, elle, écrit un ouvrage en collaboration avec Jeanne, donne des conférences, compose des articles, reçoit ses patients pour des séances d'une heure – et des collègues, pour des entretiens infinis. Quand Isabelle et Luc se retrouvent seuls, le ton monte. Isabelle devient catégorique. Elle ne prendra sa retraite qu'en novembre 2006, à soixante ans. Point à la ligne. Luc et Isabelle sont tous deux nés en novembre 1946. Luc, le 12. Isabelle, le 21. Luc doit se résigner à attendre 2006 avant qu'Isabelle ne convertisse son cabinet en chambre d'amis. Au lieu de cela, il se fait harcelant. Cela dure des mois. Au lit, l'étreinte des vieux amants s'est desserrée. Le reflux hormonal n'explique pas tout. Luc le sait bien, mais il est incapable de la boucler. Matin, midi et soir, il insiste : il veut qu'Isabelle prenne sa retraite.

Septembre 2003

Isabelle et Luc s'attardent à table après un bon repas. Ils sont détendus, complices. Isabelle sert le thé. Luc, qui n'a rien dit de la journée à propos de leur avenir, paraît jouir de l'heure présente. Illusion. Il a plutôt attendu cette heure exquise pour entonner son refrain, son *lamento,* lequel, se dit Isabelle en tendant l'oreille, n'a rien à envier à l'art lyrique. Il n'a que ça à faire toute la journée, des vocalises, ajoute-t-elle pour elle-même avec méchanceté. La partition culmine dans un *crescendo* soi-disant altruiste : *Oui, tu mérites de t'arrêter, Isabelle. Tu as mis au monde Samuel, aujourd'hui un grand explorateur dont tu peux être fière. Tu as écrit sept livres, et tu publieras enfin avec Jeanne celui que tu t'étais promis d'écrire sur la violence faite aux enfants. Tu as bouclé des cures parmi les plus difficiles. Nous avons la chance d'être en pleine santé. Nous avons de solides économies. Tu mérites de te boucher enfin les oreilles pour ouvrir tes yeux bleus sur le vaste monde.*

Art lyrique ou non, c'en est trop. Enfreignant tous ses principes, Isabelle se lève, prend sa tasse encore brûlante et la lance contre le mur. Encore beau que Luc ne l'ait pas reçue en plein visage. Ce n'est pourtant pas assez. Elle s'empare à deux mains de sa précieuse théière fleurie d'anémones, un cadeau de Jeanne, et lui fait subir le même sort. Elle croyait cette fois s'arrêter là. Mais en apercevant les dégâts, sa voix de soprano dramatique éclate dans une vivacité qui n'a pas à rougir devant celle de son duettiste, enfin muet comme une carpe. *J'ai une éthique, figure-toi. Et si un jour je me bouche les oreilles, ce sera pour ne plus t'entendre me répéter jour et nuit la même rengaine. Je n'en peux plus ! Mes patients radotent moins que toi ! J'adore mon travail et mes patients. Enfonce-toi ça dans les conduits auditifs et dans la tête. Je ne vais pas larguer* ex abrupto... (Elle s'interrompt, étonnée d'avoir employé à l'oral une expression latine qu'elle réserve à l'écrit, ce n'est pas un lapsus, qu'est-ce donc ? se reprend...) *Je ne vais pas larguer* ex abrupto *les épaves que m'a envoyées la mer pour les guérir et fermer mon cabinet sous prétexte que toi, tu as envie de prendre le large avec moi et de te la couler douce. C'est de la tyrannie. Ça excède mes forces. Déniche-toi un nouvel emploi. Deviens écailler pour un grand restaurant. Rénove la maison de fond en comble. Pars en voyage. Prends des cours de plongée sous-marine. Trouve quelqu'un, je ne sais pas, une autre sirène...* (Elle s'interrompt.) *Non, pas ça, je serais incapable de le supporter. Quitte-moi, Luc ! Quitte-moi ou... boucle-la !*

La tempête est passée. Éberluée d'avoir hurlé, cassé le cadeau que Jeanne lui a rapporté de Limoges, traité ses patients adorés d'*épaves* et dit à l'unique homme de sa vie de la quitter, Isabelle se retient de pleurer. Elle nettoie les dégâts. Jeanne lui pardonnera ce violent écart de conduite. Mais Luc ? Elle se dirige vers son cabinet.

Luc ne bouge pas. La voix perçante d'Isabelle vibre encore dans toute la pièce et dans tout son corps. Cette voix, il la reconnaît. Il ne l'a pas entendue depuis trente ans. Nuit de la naissance de leur fils unique, Samuel. Nuit où des douleurs autres que celles liées à l'accouchement décident de se réveiller. Tout le monde dans la salle – l'obstétricien, les infirmières – paraît au courant de ce qui échappe à Luc. Ce dernier a du mal à réprimer sa colère. Il veut des explications. Il insiste. *Triple fracture du bassin,* murmure entre ses dents le médecin exaspéré. *Vous vous trompez de patiente, docteur,* s'exclame Luc, sûr de lui. On lui fait comprendre que le temps n'est ni aux confidences ni aux explications. Luc insiste, élève la voix pour enterrer celle d'Isabelle, de plus en plus stridente. *On va l'expulser de force,* entend-il, croyant à tort qu'on parle du petit Samuel, qui ne semble pas pressé de quitter sa mère. Mais c'est Luc, doublement humilié, qu'on chasse. Quelques nuits plus tard, à la maison, entre deux séances de *Fais dodo* et de bercement, Luc, entêté, revient à la charge. Isabelle finit par céder. Elle lui raconte presque tout. Entre autres sévices, son beau-père lui a infligé à l'adolescence une triple fracture du bassin. Cet homme exprimait sa propre souffrance en faisant souffrir ses proches, dans de grands éclats de voix et de coups. La pire souffrance, c'était à lui-même qu'il l'avait infligée en se tuant – Isabelle rejetant l'hypothèse de l'accident. Elle ne lui avait rien pardonné, mais elle avait presque tout compris. Cinq ans d'analyse l'y avaient aidée. Luc détourne son esprit de ces souvenirs pénibles...

Que leur arrivait-il ce soir ? Isabelle, solide comme le roc. Isabelle, le *self control* fait femme : aucune phobie, aucune crise de panique, moins encore d'hystérie. Pourquoi, soudain, cette vague dévastatrice, cette vaisselle cassée, cette voix à nouveau stridente ? Luc, homme intelligent et sensible malgré sa dérive des derniers mois, comprend enfin que son harcèlement doit cesser. Il se lève. Se dirige vers le cabinet d'Isabelle.

Trois petits coups. Il entre. Dès le seuil, il reconnaît le parfum qui flotte dans la pièce, *Un jardin en Méditerranée*. Son cœur se serre en voyant le beau corps d'Isabelle éclairé par les deux lampes de moules, de poissons et de coraux que Samuel lui a rapportées de Vallauris, et qu'elle allume quand son fils lui manque trop. Tout dans cette maison évoque les grands voyages de Samuel, de Jeanne et de leurs amis. Comment ne pas avoir soi-même envie de partir ?

Étendue sur le divan de ses patients, Isabelle pleure. *Ma petite sirène,* risque Luc. Il s'approche. La prend dans ses bras. Les sanglots s'apaisent. Il la berce comme elle n'a jamais été bercée de sa vie, mais comme elle a su bercer leur fils, et comme elle berce par son écoute les patients qui dérivent jusqu'à elle. Luc promène les yeux dans cette pièce. On dirait un refuge. Ou le miroir de la propre guérison d'Isabelle. Une pièce soignée, élégante, sensuelle, toute remplie de l'amour qu'elle porte à leur fils par le soin jaloux qu'elle prend des coquillages et des photographies sous-marines qu'il lui offre au retour de ses expéditions. Il y a des livres partout. Dans la quasi-pénombre, Luc aperçoit les noms qu'il a si souvent entendus – Pontalis, Dolto, Freud, Anzieu, Cyrulnik, Haineault, Klein, McDougall… Des auteurs que Luc n'a jamais lus, pas plus qu'il n'a ouvert les sept ouvrages qu'Isabelle a écrits, craignant d'être incapable de s'intéresser à des histoires de cas. Sa sirène est heureuse dans cette pièce. Heureuse d'écouter, de consoler, de lancer des pistes. Elle a ce don. *Je te les donne, les trois ans que tu réclames. Ne pleure plus.*

Fin de l'année 2003

Luc se sent gagné par une espèce de torpeur. Il sombre chaque soir dans un sommeil comateux. Et dort deux heures l'après-midi. Il cherche à *tuer le temps*. Heureusement qu'Isabelle ne l'entend pas penser, elle qui hait cette expression qu'elle juge suicidaire. Honteux de son propre désœuvrement, Luc se cache pour pleurer. Isabelle, ayant appris à naviguer dans la psychologie des profondeurs et à distinguer la détresse du chantage, sent que Luc se dirige tout droit vers une dépression. Elle prend la barre, fait appel à Jean-Pascal, un ami devenu psychiatre, qui ne prescrira pas des antidépresseurs après une seule consultation. Il ne les déçoit pas. Luc et Isabelle suivent ses conseils à la lettre : un horaire strict, des aliments sains, des exercices physiques, de la musique, de la lecture, des rapports sexuels, des massages. Isabelle a ajouté à cette liste un simulateur d'aube. Luc lui a déjà expliqué que ce dernier permet au cerveau de comprendre qu'il doit ralentir sa production de mélatonine, l'hormone du sommeil. Dans un couple fusionnel comme le leur, il est normal qu'Isabelle soit devenue un peu endocrinologue.

Dans les mois qui suivent, quel changement ! La verve de Luc se tourne désormais vers Django Reinhardt et Miles Davis, les tableaux de Pierre Soulages et ceux de Kandinsky, les météorites, pour lesquels il s'est découvert une passion, les portes en verre thermoformé qu'il veut installer dans la salle à manger, l'art du vitrail, les nouveaux plats qu'il cuisine avec brio. Lorsque Samuel fait escale à Montréal, Isabelle entend le père et le fils tracer les itinéraires qu'elle et Luc suivront.

Novembre 2006

Une fête pour les soixante ans d'Isabelle se prépare. Samuel a trouvé pour sa mère adorée des boucles d'oreilles de nacre. Jeanne, elle, offrira à sa meilleure amie *Une écoute lumineuse*, la biographie de Joyce McDougall, et la reproduction du tableau *Coquillage* de Gustave Moreau. Dans une bouteille vide, Luc, qui peine ces jours-ci à dissimuler sa joie, a glissé ce message : *Écoute encore. Ma sirène. Aime encore. La mer est ici. Près de toi. Tu es trop jeune pour partir. Trop jeune pour te retirer.*

Un autre hiver

À Charline

Mais les cloches des églises doivent s'en aller sous terre.
Elles s'accrochent aux tuyaux des égouts.
Elles tintent sous nos pas.

Tomas TRANSTRÖMER.

Enfin ! J'entends à l'autre bout du fil les mots que je veux entendre depuis dix jours. L'infirmière de garde me dit : « Oui, ça va. Aujourd'hui, vous pouvez venir la visiter. » Elle ajoute : « Vous connaissez les heures de visite, monsieur ? » Je réponds que non, que depuis dix jours, on m'interdit de te voir, de te parler, que je ne connais pas par cœur les heures de visite, que la dernière fois, c'était l'autre hiver. « Il vous reste peu de temps : vous avez jusqu'à vingt heures. » Je jubile. Nous sommes le vingt décembre, et j'ai jusqu'à vingt heures. Je répète à l'infirmière que je suis content, que j'arrive, que je suis vraiment content, mais je ne veux plus trop insister, je ne dois pas trop insister, trop montrer ma joie, tu m'as souvent dit qu'il ne fallait pas trop montrer sa joie, que c'est comme ça qu'ils nous mettent le grappin dessus, comme ça qu'ils nous attrapent, c'est-à-dire quand la joie est trop grande pour une seule

23

personne, qu'il y en a vraiment trop, tellement trop que cette joie devient indécente, obscène, parce que le cœur est trop ouvert, qu'il y a trop de lumière dans les yeux, trop de mots sur le bout de la langue, alors, vite, vite, déposer le récepteur, fermer le cœur, les yeux, la bouche. J'en ai déjà assez dit, si j'en dis davantage, on ne me laissera pas entrer, ou bien on me laissera entrer, mais je ne pourrai plus sortir, mais moi, tu le sais, je veux entrer et sortir, aller et venir, j'aime entrer et sortir, toi aussi, tu aimes que j'entre et que je sorte, car nous sommes liés, toi et moi, par une telle absence de lien qu'il faut recréer le lien sans cesse, ne rien tenir pour acquis, entrer et sortir, parler et se taire, rire et pleurer, faire ensemble tout ce qui crée du lien, l'amour entre autres. J'enfile mon manteau, j'enroule autour de mon cou le foulard que tu m'as tricoté l'autre hiver, je dois faire plusieurs tours, c'est fou, cet hiver-là, tu n'arrivais plus à t'arrêter, j'allais te visiter à l'hôpital, je t'apportais de la laine, tu tricotais sans pouvoir t'arrêter, ça t'aidait à calmer ta joie, à tenir ton cœur tranquille, tu m'attendais, tu savais que je viendrais, que je ne te laisserais pas tomber, cette certitude te remplissait d'une telle joie que tu devais tricoter deux fois plus, mais au lieu de faire plusieurs foulards, tu n'en faisais qu'un seul, le même, toujours le même, le mien, nous avons ri de tout ça quand tu as été rétablie, nous en avons parlé aussi, tu me disais : « C'est vrai que c'est fou, j'aurais pu faire plusieurs petits foulards à plusieurs personnes au lieu de n'en faire qu'un seul long juste pour toi. » Je craignais de t'avoir blessée, toi si sensible, toi si entière, mais je continuais de penser qu'il aurait été plus sage de faire plusieurs petits foulards, un peu comme quelqu'un choisirait de raconter de petites histoires, se doutant bien que s'il se lançait dans une longue, il ne pourrait plus s'arrêter, mais bon, toi, tu n'écris pas, tu n'es pas une écrivaine, toi, tu es costumière de théâtre, qu'à cela ne tienne, tu as décidé l'autre hiver que mon foulard serait un roman fleuve, une saga, une épopée, sauf qu'avec le réchauffement climatique, tu le sais bien, on n'a plus les hivers qu'on avait, alors il est vraiment trop long, ce foulard, tellement trop qu'il me fait penser à toi, il me donne chaud, et c'est pour ça que je l'aime, c'est pour ça que je le porte, même s'il est *trop,* tellement trop que j'ai peur d'entrer avec lui à l'hôpital aujourd'hui, peur qu'un psychiatre m'aperçoive en train de le dénouer (un tour, deux tours, trois tours, et on recommence : un tour, deux tours…), que ce médecin, craignant de voir finalement ma tête tomber sur le plancher, ou craignant, faisant de la projection, c'est bien connu, de perdre la sienne, juge que c'est trop risqué de me laisser entrer et sortir comme bon me semble, tu me vois venir ? j'ai peur qu'il me mette le grappin dessus, voilà, qu'il m'invite avec séduction, une fois mon foulard dénoué, à retirer mon manteau, puis à enfiler une camisole de force, histoire, soi-disant, de sauver ma peau, je vais donc mettre le foulard que tu m'as tricoté, mais une fois arrivé à l'hôpital, je ne le dénouerai pas, non, je n'enlèverai que mon manteau. Misère ! Que je suis bête ! J'oubliais ! Le manteau non plus, je ne pourrai pas le retirer, c'est à cause des boutons, la boutonnière que tu as faite est dingue, c'est ton humour de costumière de théâtre qui veut ça. « Chaque bouton a plusieurs spectateurs », m'as-tu dit en m'offrant ce manteau pour mon anniversaire l'autre hiver, tu t'en souviens ? Peu de gens sont capables de faire un manteau, mais toi, tu peux. Toi, tu sais. On a accepté l'autre hiver, alors que tu allais un peu mieux, de laisser entrer ta machine à coudre à l'hôpital, mais on te surveillait de près, la machine à coudre et les aiguilles à tricoter, tout ça, c'est interdit d'habitude, mais pour toi, on avait bien voulu faire une exception, on te laissait tricoter et coudre autant que tu voulais dans une salle vitrée, à un doigt de la réception, on t'avait à l'œil, l'œil admiratif des infirmières incrédules devant tant de dextérité et de talent, elles t'observaient en train de travailler, t'écoutaient parler à ta machine et à tes aiguilles à tricoter, te voyaient faire corps avec elles, et même si elles trouvaient que tu en faisais trop, tellement trop, que tu mettais trop de boutons, que tu ne respectais pas le dosage, que tu faisais trop de mailles, au fond, elles t'admiraient. « Il y a trop de boutons », riaient-elles. « C'est mon métier, au théâtre, d'en faire trop, c'est pour que les gens assis au fond de la salle, ceux qui n'ont pas assez d'argent pour se payer une première place, puissent eux aussi voir quelque chose, pour qu'ils en aient trop, tellement trop pour leur argent », riais-tu à ton tour, sans rire de personne, jamais. « Elles ne comprennent rien à ce que je dis », te plaignais-tu quand j'allais te visiter, l'autre hiver. Et j'y retourne cet hiver, je m'en vais te visiter, et je ne vais ni détacher les innombrables boutons de ma boutonnière ni dénouer mon interminable foulard, je prendrai l'ascenseur jusqu'au huitième, l'étage que tu surnommes « la cerise sur le gâteau », je te verrai à nouveau dans un accoutrement que tu auras tôt fait d'oublier dès que le médecin aura signé ton congé, car en sortant d'ici, tu seras à nouveau très occupée, plusieurs metteurs en scène feront appel à toi pour d'autres costumes, des costumes toujours plus fous. L'autre hiver, on t'a laissée broder des fleurs rouges sur ta chemise d'hôpital bleu ciel, mais tu en as mis tellement, tellement trop, que je ne sais pas si on te le permettra encore, mais pour l'instant, on me permet, à moi, d'aller te visiter, tu n'es plus en contention, m'a dit l'infirmière de garde au téléphone, on a dénoué tes liens hier, a-t-elle précisé, et moi, je te promets de ne plus t'attacher, même dans nos jeux les plus fous, promis, je vais entrer en toi et en sortir, jouissant de te savoir libre. J'arrive, avec des caramels fondants, ceux que tu préfères, tu pourras en manger autant que tu veux. J'aurais dû prendre le métro, mais en sortant de la confiserie, j'ai sauté sans réfléchir dans un taxi, à cause de l'excitation sans doute, à cause de la neige aussi qui commençait à tomber de plus en plus fort, je ne prends jamais de taxi, mon salaire de comédien de théâtre ne me le permet pas, tu le sais bien, je fais cette petite folie pour toi, je crois qu'au fond, je n'avais pas envie de la promiscuité, de la folie des fêtes, la tienne me suffit, trop de gens dans le métro, dans les magasins, tellement trop, même dans la rue, je crois qu'au fond, je ne voulais pas vivre ça, j'ai dû faire la file à la confiserie, déserte d'habitude, ça m'a retardé, il y a trop de voitures dans la rue, le chauffeur et moi sommes immobilisés devant la magnifique église de la Petite Italie, je la regarde, elle est belle, trop, elle est magnifique, elle me fait penser à toi, le chauffeur me dit qu'il est dommage que les églises soient souvent fermées ici, qu'en Europe, on peut y entrer et en sortir à sa guise, je réponds que c'est mieux comme ça, qu'il vaut mieux fermer le cœur, les yeux, la bouche, le chauffeur m'observe drôlement, c'est peut-être un psychiatre qui conduit un taxi, on ne sait jamais, il croit peut-être avoir affaire à un cinglé, mais comme il a envie de parler, je le sais, ça se sent ces choses-là, je veux dire le besoin de parler, le besoin d'utiliser les mots qu'on a en trop sur le bout de la langue et sur le cœur, je vais l'écouter, j'aime bien écouter, tu le sais, toi, tu me dis souvent que je suis bon comédien, mais que j'aurais fait un bon thérapeute, je vais aussi t'écouter tout à l'heure, ne t'en fais pas, mais pour l'instant, je l'écoute, lui, le chauffeur, qui me parle avec une rare passion de toutes les églises qu'il a visitées dans sa vie, des églises dont il a fait plusieurs fois le tour, il répète : « C'est si bon d'entrer dans une église, d'allumer un lampion, de lever les yeux vers le ciel, de prier un peu si l'on veut, mais ce n'est même pas nécessaire, juste ouvrir le cœur, ouvrir les yeux, ouvrir la bouche pour chanter, cela suffit, c'est assez, oui, c'est suffisant », qu'il dit, et il a l'air convaincu, tellement convaincu que ses yeux brillent, et moi, je lui confie à mon tour que j'aime follement les églises, même si je n'ai pas la foi, que l'amie que je m'en vais visiter à l'hôpital adore cette église, tu vois, je parle de toi, je ne t'oublie pas, je pense à toi, encore et toujours, trop, tellement trop, alors il se passe quelque chose d'étrange, le chauffeur glisse un disque dans le lecteur, le *Magnificat* de Bach, le *Magnificat,* te rends-tu compte ? mon morceau préféré, il n'y a plus que ça dans la voiture, le *Magnificat* à plein volume, je pourrais ouvrir la portière, sortir, il veut peut-être me chasser, rester seul, oui, certains en ont besoin, le matin et le soir, c'est la raison pour laquelle, je crois, beaucoup de gens supportent les heures de pointe. Ce chauffeur, il en a peut-être assez d'entendre les histoires de tout un chacun, il est peut-être un peu cinglé ce chauffeur, ça se sent ces choses-là, mais je n'ai pas plus peur de lui que je n'ai peur de toi ou de moi, j'étire lentement le bras, je tends ma main vers la poignée de la portière, j'essaie d'ouvrir, je m'en doutais, ça se sent ces choses-là, la portière est verrouillée, ce sera bientôt Noël sur la terre et dans le ciel, une neige de plus en plus folle tombe à plein ciel, j'aimerais que tu sois là, tu l'es, mon foulard m'étouffe, ma boutonnière m'emprisonne, je suis en contention dans un taxi avec un pur inconnu en extase, le cœur trop ouvert, tellement trop, à cause du *Magnificat,* et dans le rétroviseur, je vois bien qu'il y a trop de lumière dans ses yeux, comme dans les tiens quand nous faisons l'amour, que tu me laisses entrer et sortir à volonté, mais pour l'heure, je suis ici, avec lui, et lui avec moi, pour l'éternité, je le sais, ça se sent ces choses-là, il n'y a plus que ça entre cet inconnu et moi, ce lien entre le ciel et la terre, le *Magnificat* de Bach, dehors il neige de plus en plus, moi, j'ai de plus en plus chaud, les voitures n'avancent pas, il est trop tard, le ciel est sombre, mais pas fermé, j'espère qu'on ne t'a pas dit que j'allais te visiter, que je ne t'ai pas donné une fausse joie, je veux que ta vraie joie demeure, je commence à dénouer lentement mon foulard, un tour, deux tours, trois tours, et on recommence, un tour, deux tours, trois tours, je m'attaque au manteau, l'éternité est une boutonnière, je ne pourrai pas te rendre visite, je ne sais plus si je pourrai un jour entrer en toi et en sortir, peut-être as-tu besoin, toi aussi, d'être seule, les visites se terminent à vingt heures, j'irai te voir demain. Peut-être. Je ne sais plus. Ou un autre jour. J'ai si chaud. Le regard de l'inconnu brille comme la neige sur ma peau nue. Le *Magnificat* nous emporte. Nous quittons la file où nous étions immobilisés, je me laisse conduire, la lumière d'un regard et celle du *Magnificat* me guident, je ne sais plus si je pourrai sortir d'ici un jour, entrer dans une église, marcher pieds nus sur l'eau ou sur la neige, en entendant résonner les grandes orgues, les visites se terminent à vingt heures, les caramels que je voulais t'offrir fondent à présent sur ma langue et sur celle d'un inconnu, de quelqu'un en extase. J'irai te visiter demain. Peut-être. Je ne sais plus. Ou un autre jour. Promis. Ou un autre hiver.

Champ d'étoiles

À *mes parents*
À *mes étudiants*

L es parents de Mona et ceux de Laura, quatre talentueux artisans fromagers de la Montérégie, auraient bien aimé qu'au moment de choisir une carrière, les deux inséparables amies se lancent sur la belle route des fromages dans le tourisme gourmand. La vie en avait décidé autrement. Elle avait décidé que Mona obtiendrait son doctorat en mathématiques. Laura, elle, en philosophie. Elle avait aussi décidé que le chemin de Mona se ferait sans détours, tandis que celui de Laura serait plein d'embûches.

À vingt-huit ans, Mona, qui avait été une enfant extrêmement vive et douée, venait de recevoir une mention d'excellence pour avoir percé l'un des mystères entourant les nombres *p-adiques*. Elle venait aussi d'accepter de remanier sa thèse en vue d'une publication. Quant à Laura, elle n'avait jamais présenté quelque don que ce soit. Ses seuls signes distinctifs se limitaient depuis toujours à ses conversations secrètes, et en apparence fort animées, avec les chèvres de la fromagerie et à son œil égaré, lançant d'étranges rayons sous l'horizon d'une chevelure hirsute, une chevelure qui changeait de couleur au gré des saisons.

Comme il avait été libérateur, toutes ces années, de pouvoir rire entre amis de sa progéniture, sans craindre de passer pour des parents indignes ou des dégénérés. Même l'étrange amitié qu'entretenaient Mona et Laura était encore aujourd'hui pour les quatre amis une source d'hilarité, ceux-ci aimant bien rire de tout ce qu'ils ne comprenaient pas – manière comme une autre de calmer leurs angoisses devant la vie et l'avenir. S'ils avaient, eux, beaucoup en commun – une fille unique, un même métier, un solide sens des affaires et un humour presque inébranlable –, Mona et Laura, elles, étaient les deux êtres les plus dissemblables qui soient. Pourtant, la maternelle les avait unies à jamais. Leur amitié demeurait un mystère impénétrable, un lopin de ciel sans nuages.

La première session de Laura en Sciences humaines au cégep Saint-Jean-sur-Richelieu avait été du plus haut comique. Entre le vertige des rires et celui des larmes. Jacques et Françoise se rappelaient avoir souhaité que Laura y fasse la rencontre de bienveillants professeurs, des professeurs qui démêleraient l'intelligence et la chevelure en friche de leur fille bien-aimée. Françoise se souvenait aussi de la véritable panique qui s'était emparée d'elle lorsqu'elle avait surpris entre Laura et sa petite chèvre préférée une singulière conversation pouvant laisser croire à des velléités de suicide. Laura racontait qu'elle avait choisi au cégep le profil *Ouverture sur le monde* parce que *malheureusement,* disait-elle, celui d'*Ouverture sur le ciel* n'existait pas. Le doux bêlement de la frêle amie n'avait pas suffi à apaiser les angoisses de Françoise. Pas question qu'une chèvre remplace un orienteur ou un psychologue compétent, avait-elle hurlé une heure plus tard dans la tendre oreille paternelle de Jacques. Il avait fallu à ce dernier des arpents d'amour et d'humour pour la calmer – pas la fille, la mère. Jacques aborda la question de front le jour même, et le fit à sa manière inimitable.

Françoise, femme inquiète et dévouée, n'avait jamais vu trace de cette *manière-là* dans les livres, pourtant nombreux, qu'elle avait lus sur l'éducation des enfants et des adolescents. Elle ne connaissait pas encore à l'époque l'autre Françoise, la grande Dolto, qu'elle avait découverte depuis grâce à leur médecin de famille. Enfin, Jacques lança : « Écoute, Petite Étoile, *Ouverture sur le ciel,* c'est pour astrophysique. Dans *Ouverture sur le monde,* tu vas le trouver, ton chemin sur terre. Sois patiente. Nous le sommes aussi. » Laura avait rigolé. Françoise s'était décrispée. Quel amoureux il faisait, ce Jacques ! Quel adorable père poule ! Il avait jeté ses deux mains dans les cheveux de sa fille pour tenter de les ébouriffer davantage. La manœuvre était vaine. Laura et Françoise avaient ri de plus belle. Le trop-plein d'amour de Jacques était, lui aussi, inimitable.

Pendant les deux ans qu'avaient duré les études collégiales de Mona et de Laura, les papas poules s'étaient chargés à tour de rôle de les conduire au cégep dans le camion frigorifique qu'ils avaient acheté ensemble pour la livraison des fromages. Un jour, Jacques avait confié à son meilleur ami, sans en dire un seul mot à Françoise, qu'il craignait que les études de Petite Étoile ne se transforment en une plaisanterie, pas courte du tout, donc pas drôle. Sa fille semblait si déroutée. Le matin, il la regardait pénétrer dans le collège comme dans une boule de cristal, à l'affût du moindre signe d'avenir. Jacques ignorait alors que l'heure de la révélation ne tarderait pas à sonner.

Laura se prit en effet d'une folle admiration pour sa professeure de philosophie, une dénommée Fabienne, femme passionnée, adorant son métier et les jeunes esprits, décoiffés ou pas, qui lui étaient confiés. Pourtant très exigeante, elle semblait se ficher pas mal des rouages secrets de la féminité. La chevelure de Laura l'indifférait ; elle s'intéressait à ce qu'il y avait dessous.

Depuis que Laura suivait les cours de cette… Fabienne, et qu'elle lui rendait régulièrement visite à son bureau, elle rentrait à la maison le sac à dos bourré de livres et la tête pleine de paraboles. Cette Fabienne la gavait comme une oie, lui reprochaient secrètement les parents de Laura. Jacques, qui tenait à maintenir le dialogue avec Petite Étoile, l'interrompait fréquemment, voulant comprendre ce qu'il n'était pas sûr qu'elle comprenne elle-même : « Petite Étoile, stop ! je ne te suis plus ; la visibilité est presque nulle… » Laura ne riait plus.

Un soir, à table, le nom quasi sacré de la professeure céda sa place à celui de Simone Weil. Le pire allait commencer. Non pas une prévisible crise d'adolescence, mais bien plutôt une imprévisible crise mystique.

Il semblait, à écouter disserter Laura devant une assiette qu'elle ne touchait presque plus, que la fameuse Simone Weil, une sorte d'illuminée, se disaient Jacques et Françoise, avait jeté, les trente-quatre années qu'elle avait vécu, un œil égaré sur le monde, un œil flottant comme une montgolfière entre la terre et le ciel. Simone Weil aurait très bien pu se contenter d'être poète, mais la vie, qui n'avait de toute évidence aucune pitié pour les parents, en avait une fois encore décidé autrement. Elle avait décidé que Simone Weil embrasserait la carrière de philosophe. Et que pour la coiffure aussi, il faudrait repasser.

Jacques et Françoise se mirent alors à envier leurs amis. Ils auraient aimé avoir eux aussi une fille comme Mona, une fille vraiment brillante, une fille pour qui « deux et deux » font « quatre », et non pas un discours échevelé sur la justice ou la souffrance ouvrière au beau milieu du salon. Depuis, Jacques et Françoise avaient admis qu'il existait plusieurs formes d'intelligence, plusieurs manières de compter. Les parents de Mona ne comprenaient d'ailleurs plus rien à celle de leur fille adorée.

Jacques et Françoise se souvenaient que l'argent de poche que Laura gagnait à la fromagerie n'avait plus servi à cette époque qu'à entretenir le culte de Simone l'illuminée. Petite Étoile voulait tout lire, tout voir, tout comprendre : livres, articles, revues, etc. Décidément, cette *Ouverture sur le monde* prenait des proportions mégalomaniaques. Les murs de sa chambre, jusque-là tapissés de photographies de jolies chèvres, de moutons et de montgolfières, se voyaient désormais consacrés au culte de sa nouvelle idole.

Un soir, Jacques, attristé d'avoir perdu sa première place et de ne plus discuter aussi souvent avec Petite Étoile, s'approcha d'un des murs en murmurant : « Sais-tu, Petite Étoile, qu'elle est pas mal jolie, Simone l'illuminée, malgré son accoutrement ? » Oh là là... Il aurait mieux fait de se taire. Il venait sans le vouloir de déclencher les hostilités. Laura se mit à bombarder ses parents de phrases de Simone Weil, qu'elle recopiait avec une application toute maniaque. Ces mots-là étaient de véritables mines antipersonnel, qui s'en prenaient au culte du corps, au culte de l'*ego*. Ces mines explosaient partout sans prévenir, et jusque sous les meules de la fromagerie, mais elles avaient la grâce de ne blesser personne, tout au plus faisaient-elles réfléchir, ce qui était bien un peu souffrant après de dures journées de labeur, mais Jacques et Françoise les recevaient en plein cœur comme des lettres d'amour. Certains passages de ces lettres les avaient mis sur de fausses pistes. Celui-ci, par exemple : « Une très belle femme qui regarde son image au miroir peut très bien croire qu'elle est cela. Une femme laide sait qu'elle n'est pas cela. » Ils avaient cru, eux, que Laura souffrait de complexes physiques. Oh, ce n'était que ça ? Petite Étoile voulait que son entourage soit conscient de sa lumière intérieure. À choisir entre les paradis artificiels, l'art de la fugue ou cette Simone, ils préféraient de loin l'amour de la sagesse de l'illuminée. Entre une ligne de *La pesanteur et la grâce* ou une ligne de cocaïne, le choix pour des parents était vite fait.

Puis, il y avait eu l'épisode, fameux, de la retraite près de l'abbaye des bénédictins. Un sommet d'humour… jaune. Jacques et Françoise étaient souvent allés à la fromagerie de Saint-Benoît-du-Lac avec Laura, mais leur surprise fut grande lorsque leur fille leur annonça vouloir y passer seule trois jours pendant la semaine de lecture. Elle y serait retraitante à la villa Sainte-Scholastique. Oh, le secret espoir parental ! Leur brebis déroutée trouverait peut-être enfin la route des fromages… Un peu d'Archange, de Saint-Augustin et de ricotta Saint-Benoît ne pouvait faire de mal à cette créature qui, depuis qu'elle s'était entichée de Simone l'illuminée, était devenue maigrichonne. Peut-être même anorexique, s'était inquiétée Françoise. Guilleret, Jacques se proposa de conduire lui-même sa petite Laura à sa villa trois étoiles. Pendant les trois jours que dura la retraite de leur fille, Jacques et Françoise se remirent à prier pour elle, sans trop savoir d'abord comment s'y prendre. Ils finirent humblement par demander au Seigneur d'être le Berger de Laura. Ils furent drôlement exaucés.

Laura rentra à la maison, l'œil non plus égaré mais semblable à un vitrail multicolore. Chartres n'était rien en comparaison. Petite Étoile avait trouvé son âme. Petite Étoile avait trouvé sa Voie lactée. Et ce n'était pas celle des fromages. Laura ferait un baccalauréat en philosophie, un mémoire de maîtrise sur *La pesanteur et la grâce* et une thèse de doctorat sur l'œuvre entière de Simone Weil. Françoise, cette fois, frôla l'apoplexie. Pouvait-on savoir, blagua Jacques, si un fromage triple crème était à l'origine de cette triple révélation ? Laura balbutia qu'il y avait bien un peu de fromage là-dessous. La fromagerie de Saint-Benoît-du-Lac avait été construite en 1943 – Oh là là !… –, l'année précise de la *mort* de Simone Weil. Ce ne pouvait être le fruit du hasard. Les explications de Laura ne s'arrêtèrent pas là. Elles couraient loin devant sur un chemin qui n'appartenait à aucune géographie connue. Si le parcours universitaire de Petite Étoile se déroulait comme elle le souhaitait, elle terminerait sa thèse de doctorat en mai 2009, gloussait-elle, soit l'année précise du centenaire de la *naissance* de Simone Weil. Pour la première fois de sa vie, Jacques n'avait plus envie de rire. Il fallait se rendre à l'évidence. Petite Étoile avait perdu le nord. Laura délirait.

Le lendemain de cet inoubliable épisode, les parents étaient assis, tous deux crispés et angoissés, devant leur médecin de famille, un homme qui n'avait jamais eu d'enfants, mais qui n'en parlait pas moins comme un père. Chaque mot qui avait jailli de sa bouche résonnait encore en eux comme des cloches célestes : « Les symptômes d'une *vocation* ressemblent parfois à ceux d'une maladie mentale, mais c'est quand on ne suit pas sa vocation qu'on risque de devenir fou. Laura cherche des appuis et des signes dans l'invisible. Ce qui est dangereux, c'est que ces soi-disant signes, quand on les cherche, on les trouve. Croyez-moi, si votre chère Laura, votre chère Petite Étoile, sent que vous la soutenez vraiment, elle n'aura plus besoin de tels appuis. »

Les parents de Laura prirent donc la décision de s'intéresser à Simone, d'abord en lui redonnant son vrai nom, *Weil,* ne serait-ce que par respect pour tout ce qu'avaient dû endurer ses pauvres parents. Ensuite, ils lurent le soir à voix basse dans leur chambre, malgré la fatigue, *La pesanteur et la grâce.* Il y avait dans ce petit livre une plus grande clarté que ce qu'ils avaient imaginé. Ils empruntèrent à Laura d'autres ouvrages de la philosophe, et même celui d'un des maîtres de Weil, Alain, *Propos sur le bonheur,* espérant secrètement retrouver le leur. À temps perdu, ils avaient même accompli l'exploit parental de lire en entier les deux pavés qu'une autre Simone (Pétrement, celle-là) avait consacrés à la vie de son extraordinaire amie. Si plusieurs traits de la philosophe agaçaient et indisposaient les parents de Laura – ses excès, son dogmatisme et son mysticisme –, d'autres, au contraire, les touchaient beaucoup – son sens aigu de la justice, son profond altruisme, son ardeur au travail. Cette maîtrise et ce doctorat leur semblèrent finalement pleins de promesse. Petite Étoile apprendrait à se coiffer, quitterait la fromagerie et ses petites chèvres chéries, et suivrait une autre route que celle des fromages. Il leur fallait l'accepter.

* * *

Mona et Laura avaient terminé leurs études. Elles se préparaient à quitter Montréal. Mona avait trouvé un appartement près de la rivière Richelieu, à une quinzaine de minutes à pied du cégep où elle commencerait à enseigner à l'automne. Quant à Laura, elle avait décidé de lancer ses pas en septembre sur le chemin de Compostelle, au grand désespoir de ses parents, qui auraient souhaité qu'elle revienne vivre à Saint-Jean-sur-Richelieu.

Laura, que personne n'appelait plus Petite Étoile, avait vendu tous ses meubles, ne faisant pas même une exception pour son lit. Elle dormait sur le sol dans un sac de couchage. Ensuite, elle s'était fait raser la tête presque à la peau. Ce sera plus pratique pour la route, disait-elle à Mona, qui la désapprouvait. Elle avait vendu tous ses disques, y compris ceux de chants grégoriens auxquels elle avait toujours tenu comme à la prunelle de ses yeux. Mona ne put s'empêcher de lui dire qu'elle regretterait amèrement ce geste un jour, et qu'elle aurait au moins pu mettre ses disques de côté pour ses futurs enfants. *Mais je ne veux pas d'enfants à moi, Mona. Tu devrais le savoir. Si j'ai des enfants, ce seront les enfants du monde...* Ces derniers mots avaient affolé Mona. Ce n'était pas le fait que Laura dise ne pas vouloir d'enfants qui l'inquiétait, c'était la fin de la phrase, ces *enfants du monde*. Elle songea à téléphoner à Jacques et à Françoise pour leur dire qu'après une trêve de plusieurs années, Laura semblait traverser à nouveau une crise étrange. Elle n'en fit rien pourtant, rassurée par le fait que Laura ne vendit pas tous ses livres et entreprit plutôt, comme Mona le faisait elle-même depuis quelques jours, de les ranger systématiquement dans des boîtes. Laura mettait soigneusement de côté tous les livres qu'avait écrits Simone Weil, à qui elle avait consacré son mémoire de maîtrise et sa thèse de doctorat. Comment la philosophe était parvenue, avant de s'éteindre à l'âge de trente-quatre ans, à écrire autant demeurait d'ailleurs pour Mona un réel mystère. Elle vit ensuite Laura regrouper nombre d'ouvrages portant sur la vie et l'œuvre de la philosophe, puis tous ceux qui touchaient à la question de l'invisible, le thème central de sa thèse, soutenue avec brio ce printemps-là. Il y avait dans ce classement une logique certaine.

Les choses se gâtèrent toutefois au moment où Laura se mit à marquer ses boîtes en faisant appel à d'étranges équations astromathématiques : *Deux étoiles au carré, 1999 étoiles au cube, Trois étoiles exposant deux...* Mona crut d'abord que Laura, s'étant peut-être sentie trop observée ce jour-là, lui faisait une blague pour lui donner une leçon... Elle comprit vite qu'il n'en était rien, et lui lança amicalement qu'elle ne retrouverait rien avec toutes ces paraboles. Laura lui rétorqua sèchement qu'il s'agissait d'un *langage codé* qu'elle était *seule* à pouvoir comprendre. Mona, qui était encore un peu imbue de son récent succès, se sentit directement visée par cette pointe. Elle se détourna de son amie, non sans colère cette fois, et se replongea dans son propre rangement. Après tout, elle-même avait beaucoup à faire.

Les souvenirs heureux et les promesses que ses boîtes éveillaient en elle depuis quelques jours l'enivraient presque. Mona était si heureuse de s'installer à Saint-Jean-sur-Richelieu après dix ans passés à Montréal, si heureuse d'avoir obtenu un emploi au cégep, si heureuse en pensant à son avenir.

Ses nombreux livres avaient eux aussi fait l'objet d'un tri minutieux. Il y avait ceux qu'elle gardait en prévision de son futur métier de professeure, ceux qu'elle offrirait à la bibliothèque de son université en signe de gratitude, ceux qu'elle revendrait à des étudiants en mathématiques, ceux qu'elle empilait pour ses loisirs. Il y avait aussi ceux qu'elle mettait de côté pour ses futurs enfants, ses enfants qu'elle espérait voir un jour grandir, tout comme elle, sous le ciel bleu, bleu, bleu de Saint-Jean-sur-Richelieu. Ces livres-là étaient rangés non pas dans une banale boîte en carton, mais dans une très jolie boîte en bois que son oncle Gérard, un ébéniste aveugle, lui avait confectionnée lorsqu'elle était petite. Tout l'intérieur était tapissé de velours. On aurait dit un coffre au trésor. D'une certaine manière, c'en était un puisque s'y trouvaient, entre autres livres précieux, ceux que lui avait offerts cet oncle et qui avaient permis à Mona d'apprendre, très jeune, à lire le braille. Sa vocation pour les langages codés venait peut-être de là, qui sait ?

Toutes ses boîtes, sauf celle en bois, avaient été marquées avec la vive efficacité qui caractérisait les moindres gestes de Mona : *Théorie des nombres* ; *Géométrie algébrique* ; *Théorie des groupes* ; *Romans* ; *Ouvrages pratiques* ; etc. Lorsqu'elle emménagerait dans son appartement, elle pourrait ainsi ranger en moins de deux tous ses livres dans la bibliothèque que ce même oncle Gérard était en train de lui fabriquer. Les parents de Mona avaient tenu à offrir ce cadeau à leur fille unique pour célébrer la fin de ses études, l'obtention de son emploi d'enseignante et son retour dans sa ville natale. Elle n'aurait, lui avaient-ils dit, qu'à expliquer à Gérard comment elle imaginait cette bibliothèque, et il la lui confectionnerait selon son rêve. Mona n'en doutait pas.

Cet oncle serait toujours dans le cœur de Mona une sorte de héros. À l'âge de vingt-sept ans, un accident de travail lui avait complètement brûlé les yeux. Le père de Mona lui avait raconté que ses terribles blessures à peine pansées, son frère s'était remis aux métiers du bois où il avait très tôt excellé. Il devait tout réapprendre. Et il réapprit tout, sollicitant le soutien et les conseils des meilleurs artisans de la région, toujours heureux d'aider cet homme courageux, enjoué et sympathique. En deux ans, Gérard avait non seulement tout réappris en plus de découvrir de nouveaux tours de main, mais encore avait-il été engagé à temps partiel dans une fabrique de jouets de la Montérégie, une petite entreprise familiale. Il y fabriquait des maisons de poupées, des fermettes, des théâtres de marionnettes, des bacs à sable, des chevaux de bois... Le reste du temps, il travaillait à son compte. Il construisait des bibliothèques, des commodes à multiples miroirs, des tables à dessin, des berceaux, des armoires à linge, des boîtes, des coffres, des lits superposés, etc. Il était connu et aimé dans toute la région pour son immense talent, son courage et sa gentillesse. Mais toutes ces qualités n'avaient pas suffi à lui garder l'amour de sa première femme. Celle-ci l'avait quitté, n'acceptant tout simplement pas qu'il ne puisse plus la voir et l'admirer. Gérard dut donc aussi apprendre à vivre seul. Et il l'apprit. Difficilement. Au dire de son frère, le départ de sa femme l'avait affecté davantage que la perte de la vue. Gérard ne pouvait pas se douter qu'il vivrait bientôt, à l'âge de trente ans, un grand amour, *le grand amour de sa vie,* et que cette histoire naîtrait ironiquement dans une boutique de miroirs du Vieux-Saint-Jean.

Gérard s'y rendait régulièrement pour acheter et faire tailler sur mesure les miroirs dont il avait besoin pour les commodes qu'il confectionnait. Monique, la propriétaire, était littéralement tombée sous le charme de cet homme talentueux, vigoureux, débrouillard et rieur. Gérard, lui, ne semblait pas comprendre que Monique cherchait à le séduire. Sans doute était-il convaincu que *toutes* les femmes étaient comme celle qui l'avait abandonné – si imbues d'elles-mêmes qu'il leur était impossible de renoncer au plaisir d'être vues et admirées. Sans doute jugeait-il plus sage de se contenter de bien faire son métier et de ne plus nourrir de faux espoirs pour sa vie amoureuse. Monique lui prouva qu'il avait tort. Elle dut toutefois fourbir ses armes et faire preuve de persévérance. Si bien qu'un jour, Gérard finit par saisir que la voix mélodieuse, les silences troublés, les effluves de parfum, les gestes attentionnés, les bonnes paroles, les confidences, les petits plats mijotés en trop grande quantité, tout cela, c'était pour lui, *juste pour lui*. Il avait dû se rendre à l'évidence : Monique n'était pas la même avec les autres clients. Il y avait donc entre elle et Gérard ce qu'il fallait bien se résoudre à appeler une *intimité*. Il se décida enfin à l'inviter chez lui où il lui ferait à son tour la cuisine. Là encore, comme en tout, il se débrouillait très bien. Monique, qui avait fini par croire que cette invitation ne viendrait jamais, eut du mal à contenir sa joie et son désir. Elle se rendit à ce rendez-vous avec la certitude qu'elle et Gérard ne se quitteraient jamais plus. Et le temps lui avait donné raison. Plus de trente ans plus tard, Gérard et Monique vivaient encore ensemble, toujours épris l'un de l'autre. Ils évoquaient parfois pour Mona, avec humour, leur premier vrai *blind date*. Mais l'amour rendait Gérard un peu poète, qui disait souvent que Monique lui avait donné ses yeux en échange de son cœur.

Une puissance miraculeuse se dégageait de ce couple, une puissance qui avait toujours fasciné Mona. Quelle belle idée ses parents avaient eue de proposer la fabrication de cette bibliothèque ! Mona avait téléphoné à son oncle et lui avait parlé de petites portes secrètes, de tiroirs à double fond, de tablettes amovibles, de pattes torsadées, etc., en sachant qu'il relèverait avec brio tous ces défis. Tous les vœux de Mona avaient été ponctués par les exclamations de son oncle : *Oui, je vois, je vois !* Et Mona savait que son oncle disait vrai. *Il voyait.* Avant de raccrocher, Mona avait tenu à dire à son oncle que cette bibliothèque serait pour elle un porte-bonheur, le signe qu'il fallait trouver et suivre sa vocation.

Depuis cet appel, Mona n'avait cessé de tourner en imagination les pages de son enfance, ses courses à travers champs pour rendre visite à son oncle et à Monique. Comme elle avait aimé, enfant, surprendre son oncle en plein travail dans sa cave ! Elle ouvrait la porte, descendait quelques marches et s'assoyait dans le noir le plus complet tandis que son oncle, qu'elle ne voyait pas plus qu'il ne pouvait la voir, clouait et sciait du bois sans relâche – d'ailleurs, Mona ne pouvait aujourd'hui pénétrer dans une quincaillerie sans penser à lui. Sans jamais qu'elle puisse comprendre comment il faisait, elle l'entendait dire : *Mona, je sais que tu es assise dans l'escalier.* Dans le noir, il avait senti sa présence comme elle avait senti la sienne. Il travaillait encore un peu, puis invitait Mona à venir le chercher. Elle descendait doucement les marches et se dirigeait, jouant à l'aveugle, vers son oncle qui la serrait très fort dans ses bras. Ils remontaient ensuite ensemble l'escalier abrupt. La lumière crue piquait les yeux de Mona. Pour elle, le jeu était fini tandis que son oncle, lui, restait plongé dans le noir. Mona ne comprenait jamais aussi cruellement son malheur qu'à cet instant. Elle aurait bien accepté que leurs rôles soient inversés, le temps de permettre à oncle Gérard de voir le beau visage de Monique, les jouets magnifiques qu'il fabriquait et sa petite frimousse à elle. Comme les règles du jeu de la réalité lui semblaient parfois injustes ! Mona éprouvait pour cet oncle un mélange d'admiration et de compassion. Tante Monique la gardait souvent à dîner, et pendant qu'elle préparait le repas, oncle Gérard apprenait à sa nièce à décrypter le braille : d'abord sur sa grosse montre, dont il fallait soulever la vitre, ensuite sur des cartes à jouer et, pour finir, dans des livres pour enfants. Le premier de ces livres, Mona ne l'oublierait jamais, avait été *Alice au pays des merveilles.* Il était aujourd'hui dans la boîte en bois tapissée de velours. Si Laura préparait de son côté son pèlerinage spirituel, il y avait déjà quelques jours que le pèlerinage temporel de Mona était commencé.

Ses boîtes terminées, Mona revint au présent. Elle eut à nouveau sous les yeux les étranges inscriptions de Laura qui, agenouillée, les yeux clos, dans un coin retiré du salon, se livrait à une séance de méditation. De telles séances se multipliaient depuis quelque temps. Mona observait son amie : à vingt-huit ans, elle en paraissait dix-huit avec ses cheveux au ras du crâne. Que deviendrait-elle ? Mona, maternelle, s'en inquiétait. Laura n'était pas tentée par l'enseignement. Elle n'avait pas non plus de goût particulier pour l'écriture. Laura ne voulait plus travailler à la fromagerie…

La nuit venue, Mona explora de plus près les mystérieuses inscriptions. Elle fit glisser sur elles ses longs doigts de voyante, comme si l'âme de Laura, mêlée à celle de Simone Weil, cherchait à exprimer là quelque chose d'invisible. *Deux étoiles au carré, 1999 étoiles au cube, Trois étoiles exposant deux…* Mona ne mit que peu de temps pour y voir clair. Ce langage, si maladroitement codé, cherchait à réunir les mathématiques et Compostelle – Mona et Laura. Les *deux étoiles* étaient les inséparables amies. *1999,* l'année où elles avaient emménagé dans cet appartement. Et les *trois étoiles* étaient sans doute un signe du grand bonheur qu'elles avaient toutes deux vécu en ces lieux.

Mais Mona ne partirait pas. Elle ne suivrait pas son amie, car quelqu'un, son oncle Gérard, moins par ses paroles que par son exemple, lui a appris que chacun sur la terre, Compostelle ou pas, a son chemin ou son champ d'étoiles, et qu'il faut parfois avancer seul, seul dans sa nuit, pour les y voir briller enfin.

La recette du bonheur

Le mélange des ingrédients, ça me connaît. Je suis devenue maître ès associations. À l'Université du supermarché. C'est là que se font les études supérieures après l'école de la vie. Je ne recule devant aucun mariage, sauf le vrai. Pour le reste, je veux bien, *oui, je le veux,* faire toutes sortes d'essais. Et d'erreurs. *Mea culpa.* Mon fouet traîne toujours quelque part. Sur un comptoir intérieur. *Qui aime bien châtie bien.* Ça vaut aussi pour soi-même. Et parce que Jésus, un vieil ami à moi, m'a fait promettre sur sa croix, pieds et poings cloués, d'*aimer mon prochain comme moi-même,* que voulez-vous, je me sens ficelée. Comment puis-je me sentir autrement ? Une promesse faite à un mourant, quelle idée ! Je cuisine donc à merveille le sentiment de culpabilité. Avec un fouet intérieur hyperpuissant. Comme j'aimerais vider mon assiette une fois pour toutes, et qu'on n'en parle plus ! Au rayon des huiles d'olive, je suis toujours un peu égarée sur le mont des Oliviers, à cette heure glauque où les apôtres dorment au gaz. Religion, *religare,* vous connaissez l'histoire et les ficelles étymologiques. Même à l'Université du supermarché, on n'y échappe pas. Je suis liée à ces douze hommes qui dorment. Je me demande à quoi ils pouvaient bien rêver de si bon. Je voudrais connaître la recette de leurs rêves. Il y a peut-être en moi une vocation larvée de psychanalyste… Elle somnole peut-être dans le sommeil, la recette du bonheur. En attendant, je me sens coupable pour eux. Enfin, je ne vais pas jusqu'au signe de la croix sur la miche de pain, mais le fouet et la ficelle, ça me connaît. Surtout la ficelle. Un bon rôti, un bon poulet, je croyais qu'on ne pouvait pas faire sans ça. Je n'avais foi qu'en la ficelle. Aujourd'hui, toutes papilles dehors, j'essaie d'élargir mes horizons gustatifs. Je tente de nouvelles recettes. Je *me* cuisine pour me libérer. J'essaie de me faire cracher le morceau, de comprendre pourquoi l'ingrédient culpabilité se retrouve dans presque tous mes plats. Je n'ai pourtant tué personne, même si je mange de la viande. Et encore très peu, et toujours en demandant pardon pour le plaisir pris sur les braises de l'enfer animal. Surtout l'été. À cause du barbecue. Je me réjouis pour toutes les bêtes de la biosphère quand arrive la fin des vacances, et je regarde avec un soulagement non feint les émissions culinaires de la rentrée, qui nous parlent de marinades, de tartes et de compotes qui ne font de mal à personne. On ne peut pas faire autrement, il n'y a que ça ou presque à la télé. Cela dit, j'étais jusqu'à tout récemment, sans trop vouloir l'admettre, à la recherche de la recette du bonheur la plus juteuse. Yeux dans les yeux avec les plus beaux chefs de l'heure, j'ai même sérieusement envisagé une inscription à l'Institut de tourisme et d'hôtellerie du Québec. Ô l'ITHQ ! Un tour guidé au paradis terrestre, dit-on. On a les fantasmes de nos papilles. Moi, j'ai rêvé un temps que Normand Laprise m'apprenait à délier savamment ma langue de feu et les serpents de mon esprit, à déficeler avec art les oiseaux rares qui m'habitent, à apprêter les restes de ma culpabilité avec ingéniosité pour en faire des tartes aux pommes à la mode de chez nous. Toutes papilles ouvertes, Ève en moi hurlait *oui, je le veux, je le veux*. Les invisibles glandes de mon imagination

ont salivé ferme pendant quelques semaines. J'ai même failli
céder à la tentation à cause d'une phrase qu'a prononcée Henry
Bauchau – maître ès associations lui aussi, en plus d'être poète,
romancier et psychanalyste. J'ai cru voir un signe dans cette
phrase. Un appel. Celui d'une vocation culinaire tardive
s'offrant à moi. Il me semblait que cet homme – âgé de plus de
quatre-vingt-dix ans au moment où j'écris ces lignes – parlait
de la vie comme d'une sauce ou d'une mayonnaise. Roland
Barthes avait bien fait ça, lui aussi, des associations pleines de
sens et de saveurs entre la nourriture et la vie – comment oublier
sa très profonde et gourmande analyse du lien fusionnel, voire
vital, unissant *steak saignant* et *frites croustillantes* ? Pourquoi
Bauchau ne pourrait-il pas faire de même ? Enfin, je m'égare.
C'est toujours comme ça à l'Université du supermarché, j'ai
beau faire une liste, en connaître l'art, mettre ma soi-disant
raison aux commandes, je retrouve toujours mon panier de
provisions cul par-dessus tête. Je reviens à Henry – pardon pour
la familiarité. Je reviens à ce qu'il a dit : « Tous mes romans
traitent d'un même sujet : comment *rattraper* (c'est moi qui
souligne) une vie mal partie. » Je crois que c'est le mot *rattraper*
qui m'a perdue. On le retrouve si souvent dans les livres de
cuisine ou les fiches recettes aguicheuses qui font exploser de
bonheur les glandes salivaires des clients dans les allées du
supermarché. Vous savez, comment *rattraper* une sauce pleine
de grumeaux, comment *rattraper* une mayonnaise qui a tourné,
et *tutti quanti*. Je fais sans doute une fixation sur la nourriture.
Comment pourrait-il en être autrement ? Tout le monde en parle,
et ne parle que de ça. À la télé et ailleurs. Enfin, j'ai résisté à
l'ITHQ tentateur. Finalement, j'ai opté pour la psychanalyse et
pour l'écriture. Une vraie psychanalyse. Une vraie écriture.
Toutes deux démodées. Après l'exit des tartes aux pommes à
la mode, Ève peut retirer son costume de scène et aller se

rhabiller. La psychanalyse et l'écriture, donc. Vous savez, parler, parler, parler, être écoutée, peut-être entendue ; écrire, écrire, écrire, être publiée, peut-être lue. Une psychanalyse et une écriture de *chair*. Pouah ! Et de *mots*. Repouah ! Les vieilles recettes de l'humanité se perdent. Je résiste. Le *comfort food* pour les samedis et les dimanches de nostalgie, ce n'est pas suffisant. *Il n'y a pas de pays sans grands-pères.* Et dans le sirop d'érable, suc maternel de l'arbre, c'est meilleur. Entre les séances, qui durent quarante-cinq minutes, ding ! je pratique la danse du ventre. Je lis Baudelaire et Bauchau. Décidément, je l'aime bien Henry. Je suis heureuse de le savoir là, avec nous, quelque part outre-mer, maigre et droit comme un « i ». Je l'imagine marchant sur des eaux bleues aussi fragiles que son regard. Pour l'âme, c'est un vrai *comfort food* de savoir que les meilleurs ne partent pas toujours les premiers. Qu'ils éternisent leur passage parmi nous. Pour nous mettre un peu de cœur dans le ventre. Meilleur au goût que du plomb dans la cervelle. Bauchau l'a fait, nous mettre un peu de cœur dans le ventre, dans *Heureux les déliants.* Ce livre, ce n'est ni la Bible ni *Les fleurs du mal,* mais c'est de la haute poésie tout de même – comme on dit de la haute gastronomie ou de la haute couture. Quand j'ai découvert ce recueil de poèmes, le titre à lui seul a comblé tous mes appétits. Au même moment, une amie, qui a dix ans de moins que Bauchau, m'a fait découvrir la cuisson à l'étouffée. T-e-r-r-i-b-l-e bonheur ! Ça a changé ma vie. Et ma manière de cuisiner. Étendez votre rôti ou votre poulet dans un plat de cuisson Römertopf. Ça vaut l'investissement. Agrémentez-le d'herbes folles. Fermez le couvercle. Cuisez quarante-cinq minutes. Ding ! Vous m'en donnerez des nouvelles. Plus besoin de ficelle, vous verrez. Quarante-cinq minutes à l'étouffée, et ça jute de partout. Sur le divan aussi, c'est quarante-cinq minutes. Ding ! Mon temps est compté – et le vôtre aussi du reste, pardon de vous le rappeler. Il faut faire vite. Trouver une direction. Un sens. Une mission de vie. Ou, plus modestement, un menu. Faire vibrer nos cinq sens sous le fouet hyperpuissant du plaisir. Sans devenir fous. Depuis que les séances ont commencé, je m'efforce de découper ma vie par tranches de quarante-cinq minutes. C'est de la basse poésie, je sais. N'est pas Bauchau qui veut. Baudelaire encore moins. On ne naît pas albatros, dirais-je. On le devient. Quarante-cinq minutes de danse du ventre. Quarante-cinq minutes de lecture. Quarante-cinq minutes de tâches domestiques. Même chose à l'Université du supermarché. Hue ! Hue ! Il faut vite repérer les rabais du patron et le clou de la circulaire. J'ai toujours peur d'arriver face à face avec Jésus, mon petit chou, dans une allée. Je traverse comme une étoile filante la voie des produits lactés. Je cueille au paradis quelques fruits défendus. Je ne lésine pas sur les légumes et les céréales. Hue ! Hue ! En route pour Kamouraska ! Au rayon des cœurs surgelés, le rayon de ceux et de celles qui ne cuisinent plus. En quarante-cinq minutes, tout doit être choisi, payé, emballé. *Merci, à la revoyure !* Ai-je tort de penser que cette discipline, toute temporelle, peut m'aider les jours de séance à faire des emplettes dans mon hyperespace cérébral ? Je cherche enfin la recette du bonheur ailleurs que dans ma cuisine. Mon corps n'offre aucune résistance. Je suis prête. J'ai un peu de cœur dans le ventre. À cause de la danse, de Baudelaire et de Bauchau. Je ne rate ni les gâteaux d'anniversaire ni les jours de séance. Je ne me défile pas. J'arrive à l'heure. Je fais au mieux avec mes ingrédients. J'ai ma touche personnelle. Le sucre de mes rires. Le poivre de mes colères. Le sel de mes larmes. Je paie en sortant. Si je m'abuse moi-même, je n'abuse de personne. Ai-je du temps, de la peine et de l'argent à perdre ? Aucunement. Tout ça m'est compté. Comme à vous. Je consulte les circulaires. Je cours les aubaines. Je n'achète plus de livres de cuisine, et je laisse à d'autres affamés du bonheur gustatif les fiches recettes du supermarché. J'évite ainsi toute tentation. Je passe désormais en coup de vent dans l'allée des friandises. Je danse, aussi *heureuse* et *déliée* qu'un grain de maïs soufflé. Je ne cherche plus mon enfance dans les nourritures terrestres. Je foule d'autres terres. J'erre avec mes mots par monts et par vaux, au pays intérieur des sens, des essences et des saveurs. Je ne prépare pas ce que je dirai à la femme qui me reçoit et m'accueille fort aimablement. Je ne fais pas de liste mentale. Je résiste. Tout ce que je fais, c'est apprendre à mon *corps-esprit* à vibrer à l'intensité quarante-cinq. Ding ! Ma langue est hérissée de papilles neuronales en lieu et place du cerveau. Je m'égare, certes, mais sans craindre de me perdre. Je dis sans ambages tout ce qui me glisse sur la langue. Je ne la tourne plus sept fois avant de parler, et après je ne la mords plus. Ça ne m'humilie pas le moins du monde de payer pour m'écouter une femme qui a fait la paix avec sa propre folie. Je rêve de faire un jour la même chose pour d'autres, même si je n'aimerais pas que Jésus me téléphone pour prendre rendez-vous avec moi parce que son Père l'a abandonné, tout comme je n'aimerais pas qu'il dépose quelques jours plus tard ses pauvres pieds troués et sanguinolents sur mon divan. Enfin, il m'arrive d'imaginer que l'argent que je donne à mon analyste, pour l'instant une quasi-inconnue, lui sert à payer ses emplettes. Il y a ainsi, au moins dans mon esprit, une espèce de chaîne alimentaire entre nous. Oui, une sorte de cordon. Et moi, je frappe à la paroi. D'un tympan. D'un ventre. On m'ouvre. Je revis l'idylle maternelle dont je ne me suis jamais remise. Je suis encore un peu liée, je crois. Au ventre d'une tout autre femme. Celui au sein duquel la danse de ma vie a commencé. Le ventre d'une totale inconnue qui m'a laissée tomber comme

le fruit d'un arbre défendu. Le fruit de la Faute. *Coupable.*
Depuis, je fabule sur toutes sortes de rencontres improbables.
Parler et écrire m'aident à comprendre. Je peux enfin tout dire.
Un mot de perdu, dix de retrouvés. Même chose pour les rêves.
Il y en a pour les fins et les fous. C'est le rabais du Grand Patron.
Pourtant, je me rends aux séances le ventre et la tête presque
vides. Mon intérieur crie famine. Je résiste. Je reste sur ma faim.
J'ai l'inconscient extra-maigre. Coupe catégorie A. Je ne peux
m'offrir plus d'une séance par semaine, ce que je fais déjà au
prix de quelques sacrifices et relents de culpabilité, car je dois
admettre que j'ai dû résister à l'envie de tout laisser tomber moi
aussi. Que voulez-vous, les enfants apprennent par imitation.
L'imitation de leurs parents ou celle de Jésus-Christ. Il faut
voir, chaque *cas* est unique. Parfois, alors que je suis assise dans
la salle d'attente de ma psychanalyste, les yeux plongés dans
le tendre tableau rose et gris qui me fait face, j'ai envie de
rebrousser chemin, de rentrer chez moi, de céder ma place.
Même chose d'ailleurs lorsque je fais la file pour payer mes
emplettes au supermarché. La tentation est toujours très grande
de dire à la personne inconnue qui est derrière moi : *Madame,
monsieur, quelqu'un m'attend, prenez ma place, j'ai oublié un
rendez-vous urgent.* Finalement, je ne quitte pas la file du
supermarché. Je résiste. Je ne quitte pas la salle d'attente de ma
psychanalyste. Je n'ai oublié aucun rendez-vous. Seule la
femme qui m'a mise au monde l'a fait. Elle avait sans doute
ses raisons. Il faut voir, chaque *cas* est unique. Tenez, une caisse
se libère. Tenez, une porte s'ouvre. Je suis accueillie. On
m'aidera, je le sais, avec mes provisions.

L'edelweiss

À Ginette et à Roger
À Patrick

Abbaye de Saint-Martin du Canigou,
le 12 octobre 2012

Chère Noëlle,

Il est rare que je reçoive des lettres. Il y a eu celles de notre père, qui m'a écrit tant et autant qu'il a pu de belles lettres, bien bâties. Puis quelques-unes, très espacées, de notre mère. Après la disparition de maman, ce fut comme si le silence avait complètement recouvert notre famille, comme si je retrouvais le mutisme dans lequel nous avons grandi.

Notre famille continuait-elle à vivre dans un temps qui n'était plus, à vaquer à ses occupations dans la petite rue d'Aiguillon de Québec, sans qu'on ait besoin d'en rien dire de plus ? En tout cas, j'ai fini par me résigner à cette existence fantomatique, celle du souvenir, quand, il y a quelques années, tu m'as écrit. Tu me parlais de tes fleurs, du ciel de Québec, du fleuve, des visites quotidiennes à notre frère désormais paralysé à la suite d'une chute terrible. Tu me parlais de ta vie.

Ta dernière lettre, elle, m'a trouvé dans le jardin du cloître. Tu sais que j'y passe de très longues heures, des heures que je ne vois pourtant jamais passer. Je suis encore assez vigoureux. Si quelqu'un désire me parler, si tu souhaites me revoir, ou si Dieu veut me reprendre près de Lui, c'est en ce lieu qu'il faut d'abord me chercher.

Tu aurais pu m'appeler, Noëlle. Nous pouvons recevoir des appels de l'extérieur. Et les plus âgés d'entre nous, dont je fais partie, ont même droit depuis peu à un petit appareil lorsqu'ils se retirent pour prier dans les montagnes environnantes. Il reste qu'en comparaison des oliviers, des figuiers, des châtaigniers, des grenadiers, des pêchers, des cyprès, des amandiers, la téléphonie sans fil n'est à nos yeux qu'un petit miracle.

Par délicatesse sans doute, tu as choisi de m'annoncer le décès de notre frère aîné par écrit, sur un papier à lettres où j'ai cherché les traces de quelques larmes. Peut-être celles-ci ont-elles séché en traversant l'océan…

Peux-tu croire que cela fait quarante ans que je n'ai pas prononcé le prénom de mon frère, et que je suis incapable de l'écrire aujourd'hui ? Je dirai « mon frère ».

Je me suis souvenu que, toute mon enfance, mon frère a assisté à mes difficultés scolaires d'une manière qui trahissait déjà l'ambivalence affective qu'il aurait toute sa vie pour moi. Lorsqu'il me voyait, petit, peiner sur un devoir, ou encore libérer peu virilement mes larmes devant un problème qui semblait dépasser mes capacités, il me disait de ne pas désespérer de moi-même, que ma tête était une vraie boîte de céréales, et qu'on finirait bien, à force de fouilles archéologiques, par trouver une babiole au fond, qu'il me faudrait être patient. À ces mots, nos parents souriaient tendrement en me regardant. Sans doute étaient-ils un peu découragés de ma lenteur et cherchaient-ils à le cacher. Je l'ignore. Je ne me rendais compte de rien. Mais, les voyant sourire, je souriais à mon tour. Je me sentais ragaillardi, plein d'une précieuse confiance en l'avenir.

Le fait est que si je savais fort bien ce qu'étaient des fouilles archéologiques (difficile de l'ignorer avec ce grand frère brillant, féru d'histoire et d'alpinisme, passionné de géologie, de monts et de vaux, d'éperons rocheux, de pics, d'aiguilles et de gorges), je ne savais rien, rien du tout, de ce que pouvait être une... babiole. Je ne m'explique d'ailleurs qu'à moitié comment j'ai pu si longtemps ne pas avoir la curiosité d'interroger mon aîné sur le sens de ce mot, pas plus que je n'ai eu celle d'interroger le *Larousse.*

Le mot babiole signifiait à mes yeux la promesse d'un trésor mystérieux enfoui au plus profond de moi. J'étais comblé.

Mon frère et moi avons longtemps partagé la même chambre. Toi, tu dormais seule, mais venais me rejoindre lorsque tu étais somnambule. (Tu l'es toujours ?) Tu ne devais surtout pas apprendre que, la nuit, j'avais trois yeux. Une autre idée de mon grand frère ! Au moment d'éteindre la lumière, il lançait : « Maintenant, ferme tes trois petits yeux, et dors. » Cela me faisait peur de savoir que, la nuit, un œil sortait de mon front, un œil que je ne pouvais voir, mais que mon frère omniscient, lui, voyait. Je ne parvenais à m'endormir que lorsque j'avais la certitude que ce troisième œil était tout à fait fermé, qu'il n'allait pas t'effrayer, toi, ma petite Noëlle, qui venais trouver refuge dans mes bras.

Avais-tu un œil à la place du cœur ? Une étoile, peut-être ? Veillais-tu la nuit sur notre famille ? Je n'en serais pas étonné.

Laisse-moi te raconter encore, moi qui parle si peu. Un jour, j'ai appris que les mouches à feu que nous aimions capturer s'appelaient des lucioles. Ce mot m'a profondément réjoui parce qu'il me faisait penser à babiole. Ma vie intérieure en a été illuminée.

À quatre-vingts ans, elle m'accompagne encore, cette lueur, même si je sais désormais ce qu'est une babiole. Quand j'y repense, cela m'attriste que mon frère n'ait pas placé en moi plus d'espérance, qu'il ait aussi rejeté mon cœur pourtant tendu vers le sien.

Il n'est jamais venu me voir ici en dépit de sa passion des montagnes, passion qui l'a pourtant poussé non seulement à explorer les merveilles naturelles de notre pays, mais encore à le quitter souvent pour parcourir le monde. J'aurais été si heureux de le revoir, de lui parler. Les lettres de nos parents me racontaient avec admiration les ascensions vertigineuses qu'il faisait aux quatre coins du monde avec des randonneurs et des alpinistes de renom. J'ai même eu accès à quelques coupures de journaux.

Il en a vaincu, mon frère, des montagnes, mais jamais celle de son ambivalence envers moi.

Pourtant, les lieux où je vis en communauté l'auraient fait rêver. Il aurait été accueilli en ami. Notre abbaye sur les flancs du Canigou est un joyau. Nous célébrons la puissance et la beauté des montagnes qui nous entourent parce qu'elles nous rapprochent de la puissance et de la beauté du ciel. Ce commun amour des montagnes aurait-il pu nous rapprocher, mon frère et moi ?

Maman m'a appris que, quelques années à peine après que je m'y fus réfugié, notre frère est venu explorer de fond en comble le Languedoc-Roussillon. Le Canigou, m'écrivait-elle sans craindre de me blesser, n'avait, paraît-il, plus de secret pour lui. Mais, de mon frère, pas un mot. Rien que le silence. Je n'ai jamais compris pourquoi.

À ses yeux, j'aimais peut-être trop les vieilles églises de Québec, la contemplation du fleuve, les psaumes, les chants grégoriens, les jardins… Il m'appelait le *fou de Dieu,* moi, si tourmenté, si prompt à douter de tout, *a fortiori* de ma foi. Mon goût pour les jardins médiévaux le dégoûtait. Que je devienne horticulteur l'a horrifié. Je m'en souviens.

Heureusement, ma chère Noëlle, ce ne sont pas ces souvenirs-là qui prennent en moi le plus de place. *C'est autre chose.*

Un soir, maman, veuve désormais, m'a lu l'unique lettre que notre frère lui a écrite. Il préférait raconter ses voyages au retour. Cette lettre, il l'avait envoyée des Alpes. C'était, me disait-elle, la plus belle chose qu'elle avait reçue de toute sa vie, plus belle encore que les lettres d'amour de notre père, plus belle que tous les poèmes que je lui avais adressés, me confiait-elle avec un sourire qui demandait pardon. Et c'est vrai que c'était très beau. Notre frère disait l'émotion qui s'était emparée de lui en découvrant, à plus de trois mille mètres d'altitude, l'edelweiss mythique, cette fleur qu'on appelle aussi l'étoile des glaciers. Il confiait que l'edelweiss lui avait rappelé notre mère, et qu'au sommet de la montagne, il s'était agenouillé. Chère Noëlle, j'ai alors senti comme jamais, en entendant les mots de mon frère, la fraternité de son cœur et du mien.

Aujourd'hui, je creuse humblement la terre. Je creuse juste ce qu'il faut pour y déposer des semences qui porteront des fruits. Le plus difficile pour moi, c'est de ne pas m'enorgueillir de la beauté des fleurs que je vois s'épanouir. Les roses surtout exigent une humilité presque douloureuse. Je dois me souvenir que je n'en crée ni les formes ni les couleurs, et moins encore le parfum. Je ne crée rien, je recrée. Ces roses ne sont pas miennes. Elles passent. Elles nous rappellent le paradis.

Il en va de même pour l'enfance, Noëlle. Elle ne nous appartient pas. Nous ne la créons pas. Elle ne fait que passer en nous. Rien de plus. Rendons grâce, Noëlle, de l'avoir connue.

Aujourd'hui, jardiner, lire, prier, chanter avec mes frères de la communauté, cette nouvelle famille, me comblent. Je suis devenu qui je suis, non plus un vieil enfant, mais, déjà, un vieil homme.

Viendras-tu me voir avant que le silence n'emporte tout ?

Ton frère,
Marc

Effraction

C hloé n'avait jamais pu aller au bout de son récit même si elle l'avait raconté cent fois. Jamais elle n'avait atteint le noyau noir de son histoire. Alors, elle répétait et répétait comment elle s'était *sentie* en ouvrant la porte de son appartement et en apercevant ses meubles renversés, ses livres éventrés sur le sol, ses lampes de lecture cassées en mille miettes et, près de la porte d'entrée, où elle l'avait effectivement laissée, la nourriture de Heathcliff, son siamois, nourriture qui, visiblement, n'avait pas été entamée.

Chaque fois, elle expliquait qu'elle n'était pas restée figée comme une fleur de tournesol dans le vestibule en attendant qu'un rayon de soleil lui fasse tourner la tête. Elle s'était avancée et avait pénétré en ces lieux qu'elle appelait son *havre*. Elle était sûre que les cambrioleurs avaient fiché le camp, qu'ils avaient pris ce qu'il y avait à prendre, et qu'ils avaient déguerpi. Avant de se mettre à la recherche de Heathcliff, Chloé avait voulu voir sa chambre. Pour y accéder, il fallait longer le couloir, passer à côté de la cuisine, puis de la petite salle de bains.

Dans la cuisine, les armoires ressemblaient à de longs visages blêmes, les portes faisant office de mains placées en porte-voix. Elles semblaient lancer des cris silencieux. Même la porte du frigo était restée ouverte, et la bouteille de sauce hoisin gisait par terre, vidée de son contenu brunâtre qui s'était répandu partout. Comment la voisine avait-elle pu ne rien entendre de tout ce grabuge, ne pas prévenir les policiers ? À peine Chloé avait-elle eu le temps de formuler intérieurement cette question que le souvenir de l'importante intervention chirurgicale que devait subir sa voisine lui était revenu. Une intervention est aussi une sorte d'effraction, s'était dit Chloé qui, dans le feu de l'événement et de l'énervement, confondait tout. Elle garderait son calme. Elle ne céderait pas à la panique. Elle ne laisserait pas le chaos se lever comme une tempête dans sa tête. Elle continuerait d'avancer doucement vers le cœur de son appartement : sa chambre. Une chambre toute blanche qui incarnait à ses yeux l'intimité sacrée de la méditation, de l'amour et de l'amitié, le lieu de la fidélité à soi-même, à quelqu'un ou à quelques-uns, une chambre en soi, une chambre à soi. Un grand lit blanc sur lequel était jetée en permanence, été comme hiver, une peau de renard argenté, vestige d'une histoire d'amour sauvage avec un trappeur, une chaîne haute-fidélité qu'elle avait mis un temps fou à pouvoir s'offrir, des disques de musique du monde, des livres d'occasion sur toutes sortes de mystères et de passions : les plantes d'altitude, les marionnettes, la poudre de riz, la chasse au canard, les épagneuls bretons, les amulettes, le verre soufflé, les montres anciennes, les boussoles... Des livres longtemps convoités, puis achetés au fil des ans au Temps de lire, rue Saint-Denis, mais cette librairie avait fini par fermer ses portes – du temps pour lire, les gens en avaient de moins en moins. Dans cette chambre qui faisait l'éloge du sensible, il y avait aussi ses cahiers intimes où étaient cachées des lettres d'amour ou d'amitié amoureuse pleines d'enchantements et de sortilèges, puis, au mur, des cymbales, un gong et des tam-tams chinois.

Tout cela, Chloé l'avait passé en revue mentalement, en s'avançant vers la chambre, les yeux mi-clos. Ces objets aimés ne lui appartenaient déjà plus. Elle les trouverait bientôt lancés sans le moindre état d'âme n'importe où, cassés et à jamais perdus même s'ils n'avaient pas été dérobés. Elle passa devant la salle de bains, s'arrêta sur le seuil. Il y avait du dentifrice partout. Tout près, la porte de la chambre était fermée. Chloé l'avait pourtant laissée ouverte pour Heathcliff qui, comme elle, aimait s'étendre sur la peau de renard. Chloé avait peur d'ouvrir, peur du chaos qu'elle découvrirait. Peur aussi d'avoir perdu sa précieuse plante carnivore, une amie étrange qui demandait des soins délicats, que Chloé aimait à lui prodiguer – des vaporisations fréquentes, des fertilisations hebdomadaires en période de croissance, des offrandes d'insectes les jours de fête...

Heathcliff, tu es là ? Aucun signe de vie. Elle approcha à maintes reprises la main de la poignée, mais elle se sentit chaque fois incapable de la tourner. Elle décida d'attendre. Elle appellerait les policiers. Elle pouvait sans doute avoir confiance en eux. Ils n'étaient pas tous pervertis. Ils viendraient. Ils ouvriraient la porte. Ils ne lui feraient pas de mal. Elle ne serait pas seule pour affronter le noyau noir de l'effraction, pour découvrir les immondices et, qui sait, son Heathcliff éviscéré dans la chambre maculée de sang. La blancheur avait sans doute appelé la transgression ; la solitude, l'effraction. C'était ça, l'Amérique, le Nouveau Monde. Un dieu nouveau avait peut-être voulu pulvériser l'ordre ancien, l'équilibre entre le yin et le yang... Elle finirait bien par comprendre. Pour l'instant, elle confondait tout. Le chaos commençait à se lever. Vent mauvais soufflant sur les braises mauvaises de la déraison.

Elle revint sur ses pas, et se dirigea vers la cuisine où elle se fraya non sans difficulté un chemin vers le téléphone. Le fil avait été sectionné. Qu'importe ! Elle avait sacrifié à l'autel de la modernité. Elle avait un cellulaire. Son sac, son sac, où avait-elle mis son sac ? Dans le vestibule. Elle composa vite le 911. Elle avait quelques minutes pour reprendre ses esprits et chasser les mauvais. Elle s'assit par terre, ne voulant toucher à rien et n'ayant pas la force de remettre seule sur ses pattes griffées de dragon, des griffes inoffensives qui n'avaient été d'aucun secours contre les cambrioleurs, le divan chinois du salon. En Amérique, il fallait de vrais chiens de garde.

Les policiers ne tardèrent pas à arriver.

Elle leur raconta : elle rentrait d'une fin de semaine de méditation à Québec. Oui, elle vivait seule. Oui, elle enseignait la méditation. Elle avait bien verrouillé la porte avant de partir, oui. On ne l'avait pas forcée. Personne n'avait sa clef, surtout pas. Il n'y avait aucune trace d'effraction. Elle ne comprenait pas. C'était une solitaire, une célibataire presque endurcie. Elle vivait seule avec une plante carnivore et un siamois appelé Heathcliff. «Drôle de nom pour un chat», s'était exclamé le plus loquace. *Un héros de roman,* s'était-elle contentée de répondre, énervée. Heathcliff, elle l'avait presque oublié ; elle ne l'avait pas vu depuis qu'elle était rentrée. On lui avait peut-être fait du mal. Pourquoi tant de haine ? Son cœur s'emballait, confondait tout, la vie et le roman. Chloé commençait à sentir monter le chaos. On lui intima l'ordre de se taire, de se calmer. Le chat était sans doute caché quelque part. Il avait eu peur, il s'était prostré dans un coin. On le retrouverait. On lui conseilla même de ne pas en faire une affaire personnelle. Elle n'était pas certaine d'avoir bien entendu, et s'écria : *Vous délirez ! Je rentre chez moi, tous mes effets personnels sont sens dessus dessous, plusieurs sont cassés, brisés, irrécupérables, on m'a sans doute volée, j'ignore quoi encore, et vous voudriez que je n'en fasse pas une affaire personnelle ?* Elle se ressaisit. Elle se souvint qu'elle avait appelé les policiers pour qu'ils ouvrent la porte de sa chambre. Pouvaient-ils l'ouvrir ? « Aucun problème, madame. Nous sommes là pour ça. C'est notre métier, vous savez. Vous pensez que quelqu'un pourrait être caché dans la chambre ? » *Je ne crois pas, non. Mais j'ai peur du désordre, du chaos.* Le policier lui demanda de s'éloigner. Il sortit son arme, et lança : « Vous devez vous rendre. » Chloé n'en croyait pas ses oreilles. Le Far West en plein cœur du quartier Rosemont. « Sortez de cette chambre, les mains en l'air ! » Rien. Aucun bruit, aucun son, pas même un miaulement. « Je compte jusqu'à trois : 1, 2, 3… J'ouvre. »

Le policier n'avait pas tardé à baisser son arme et à appeler son collègue : « Incroyable ! Viens voir ça ! » Le collègue, qui n'avait pas dit un mot depuis son arrivée, approcha. Il resta bouche bée. Le policier loquace reprit la parole, une parole presque attendrie cette fois et qui jurait un peu avec son uniforme d'homme de loi : « Madame, ne vous en faites pas. Ceux qui ont fait le coup ne vous en veulent pas, mais alors là pas du tout. Approchez, n'ayez pas peur. Venez voir ça. »

À peine rassurée, Chloé approcha, et vit en effet ce qu'il y avait à voir. « Vous voyez bien, madame, que personne ne vous veut de mal. » *Oui, je vois bien.* Elle ne trouva rien d'autre à dire, rien d'autre à ajouter.

Ce n'est que quelques jours plus tard qu'elle s'était mise à raconter d'abord à une amie, ensuite à son frère bien-aimé, enfin aux *méditants* qui suivaient ses cours, puis à toute personne qui voulait l'entendre et l'écouter, son retour de Québec le jour où des cambrioleurs étaient entrés chez elle par effraction. Elle s'interrompait toujours avant la fin. Alors, elle reprenait son récit. Le noyau noir de son histoire, elle finirait bien par l'atteindre. Ce qu'*elle* avait vu dans la chambre, à l'insu des policiers, elle finirait bien par le dire.

Un bonheur invisible

Mon sac à main est aussi gros et lourd que mon sac d'école, rempli de livres poussiéreux et de dictées d'un autre âge. Mon postérieur est presque aussi gros que mon sac à main et mon sac d'école réunis. Je ne m'en plains pas. Il me fait un mœlleux coussin. Avec un postérieur pareil, il s'en faudrait de peu pour que je devienne une sultane régnante. Mais il n'y a ni sultan ni prince charmant dans les parages. Je n'attends personne. Personne ne m'attend. J'ai bien attendu mes étudiants, des tours plein mon sac. Puis, j'ai fini par comprendre qu'ils ne viendraient plus. Je serais seule. Enfin presque. L'un d'eux est resté. Il s'appelle Philippe.

Le matin, pour entrer dans ma classe, mon postérieur me sert à pousser la porte quand Philippe n'est pas encore arrivé. Si, moi, je suis grosse, Philippe, lui, est maigre. Tout est facile entre nous. Sans chichis. Il ne me demande pas ce qui est arrivé à mon corps ; je ne lui demande pas ce qui est arrivé au sien. Je le devine un peu. Lui aussi sans doute.

Le plus souvent, quand je m'engage dans le tunnel qui conduit à ma classe, j'aperçois Philippe assis par terre devant la porte. Il n'a l'air ni d'un chien battu ni d'un cerbère. Philippe ressemble pour l'essentiel à ce qu'il est : un jeune garçon qui a précocement trouvé un bonheur invisible dans le silence. Parfois, Philippe ressemble à autre chose qu'à lui-même. À un poème de Saint-Denys Garneau. Philippe devient alors une cage d'oiseau. *Une cage d'os avec un oiseau.* Parfois, c'est autre chose encore. Philippe forme un angle droit avec le mur. Si parfait qu'il pourrait servir d'exemple dans un cours de géométrie. Cela ne risque pas de se produire. Nous sommes si seuls.

Chaque fois que je les remarque, les mains fines de Philippe sont posées à plat sur ses fémurs et me semblent avoir allongé. Mine de rien, je les surveille un peu. Même si je me tais. Je m'assure qu'au repos sur les cuisses, les mains de Philippe ne touchent pas encore les rotules. Le cas échéant, j'aviserai. Qui donc ? Quelqu'un ! Il doit bien se cacher quelque part. Je verrai en temps et lieu. En tout cas, ce n'est pas normal d'avoir de si longues mains. Pas plus qu'il n'est normal sans doute d'avoir un si gros postérieur. Pourtant, je ne mange qu'une pomme d'or par jour. Celle que Philippe cueille pour moi avant d'entrer en classe. La vérité est que je me suis prise d'affection pour les mains de ce jeune garçon. Deux vraies mères pour moi. Deux mères aux tendresses anguleuses, qui ne me veulent aucun mal, qui ne cherchent jamais à me faire souffrir ou à me blesser.

Si je me présente trop tôt et que Philippe n'est pas encore là, ma nouvelle vie, appelons *cela* ainsi, est toujours plus compliquée. Je suis et me sens si seule. Me pencher, déposer mes sacs, trouver ma clef, déverrouiller la porte, tourner un peu la poignée, me pencher à nouveau, reprendre mes sacs, donner un coup de postérieur dans la porte, y entrer. Si Philippe ne vient plus, à qui vais-je lire des histoires, réciter des poèmes, donner des dictées, expliquer les choses ? J'entre quand même. Le cœur lourd. Il fait noir. Je n'allume pas. Je connais bien les lieux. J'avance à l'aveuglette. Chargée comme un âne. Je me déleste de ma charge sur mon bon vieux pupitre. J'éprouve alors, enfin, une sorte de bonheur, celui de retrouver le mot *pupitre* et la chose elle-même, amoureusement inséparables, car depuis que je travaille ici, j'ai renoncé au divorce du *signifiant* et du *signifié*. Toutes ces théories compliquées sont tombées en désuétude. Je ne m'en plains pas. Ici, *mots* et *choses* forment un tout. Comme j'aime. Il n'y a plus de séparation. La chose abandonnant sans pitié le mot derrière elle, nul besoin d'avoir peur, cela n'existe plus. Reste que *pupitre* ou pas, quand Philippe est déjà arrivé, tout est plus facile.

Il y a entre nous de multiples codes secrets. Je ne sais plus comment ils se sont instaurés. Je n'ai rien demandé. Mais je me souviens très bien qu'un matin, me voyant sur le point de m'en remettre à mon postérieur, Philippe a dit : «Laissez, je m'en charge.» Je me rappelle avoir craint pour lui, sans le lui dire pour ne pas le blesser, une fracture du coccyx. Pauvre Philippe ! Même son cœur semblait avoir été longtemps pour lui un lourd fardeau. Je n'allais tout de même pas lui laisser porter mes sacs ! Je me souviens de son insistance exprimée dans des mots d'un autre monde, une politesse d'un autre âge : «Je vous en prie, madame, laissez.» Alors que nous nous retrouvions si seuls tous les deux, ce souci d'autrui m'a touchée. Le charme doucement suranné de ces paroles, dans la bouche d'un si jeune garçon, m'a fait reconnaître en Philippe, malgré la flagrante et caricaturale dissemblance de nos morphologies, une sorte de frère. Peut-être un fils, qui sait ? Les gènes sont des anges si mystérieux.

À partir de ce jour-là, j'ai laissé les mains osseuses de Philippe s'approcher de moi. De très près. Me toucher parfois. Essuyer une larme. Me pincer une joue. Jamais une fesse. Je n'ai pas peur de leur maigreur cadavérique. Les mains de Philippe savent faire glisser la fermeture éclair de mon sac, sortir la clef et déverrouiller la porte avec une ineffable agilité. Philippe me laisse passer devant. Il porte mes sacs. Je crois qu'il sourit. Dans cette classe, il n'y a plus que mon pupitre. Trop gros. Et celui de Philippe. Trop petit. Cela nous convient parfaitement. Nous ne nous plaignons jamais. Je suis sûre que Philippe aime être ici, avec moi. Comme moi, avec lui.

Les murs sont bleu ciel. Par les grandes fenêtres ouvertes à tous les vents, nous admirons de magnifiques et étranges oiseaux accompagner les nuages avant de regagner contes et poèmes célèbres des livres tombant en poussière.

Tout en bas, sur la Terre que nous avons tant aimée, et dû quitter à contrecœur, nous voyons, selon la saison, des pommiers en fleurs ou des pommiers gorgés de fruits d'or. Toujours des enfants jouent. Dans un éternel recommencement. Ils semblent heureux. Et avant de reprendre notre place pour la leçon du jour, nous nous disons, Philippe et moi, que nous l'avons aussi, notre bonheur.

Chœurs

À *Octavie*

*Quelle voix pourra se glisser, très
doucement, sans me briser, dans mon
silence intérieur ?*

SAINT-DENYS GARNEAU.

Chaque dimanche, une foule hétérogène mais clairsemée se dirige vers l'église Saint-Merry. Chaque dimanche, Hélène est du nombre. Aujourd'hui, la foule est dense et nuit, rue de la Verrerie, aux déambulations des badauds. En attendant de pouvoir écouter, à l'intérieur, le chœur d'enfants venus de Russie, Hélène tend l'oreille, près du parvis, à celui d'adultes venus des quatre coins de Paris et du monde. *Les chœurs d'enfants attirent toujours la foule... Un seul gâteau, ça suffit, mon chéri... L'acoustique est particulière à Saint-Merry... On parle beaucoup de cette jeune pianiste, Victoire Jeneseki... Elle jouera quelques morceaux... Si Judith voulait se remettre au piano, elle pourrait avoir un brillant avenir, mais elle manque cruellement d'ambition... Aurélia, je t'ai dit de rester avec oncle Gérard...* Un peu plus loin, Hélène croit reconnaître l'accent d'une compatriote. Elle résiste à la tentation de se retourner, mais son écoute se fait plus précise jusqu'à ce qu'une phrase, pourtant toute simple, rebondisse sur son tympan et fasse trembler son cœur. *M'man m'a dit qu'on annonce une averse de neige à Montréal aujourd'hui.*

Il ne faut rien d'autre à Hélène parfois qu'une phrase prononcée avec l'accent natal pour que des souvenirs d'enfance et des fragments de poèmes dérivent au fil de sa mémoire très vive, brisant en elle le fleuve à peine gelé. Ce sont toujours les mots d'Anne Hébert, de Saint-Denys Garneau, de Nelligan, de Brault et de Miron qui affleurent les premiers. « La neige nous met en magie, / blancheur étale, / plumes gonflées / où perce l'œil rouge de cet oiseau. » On pianote soudain sur son épaule pour lui signifier d'avancer. Hélène franchit enfin le seuil de l'église, où elle reçoit des excuses au lieu du programme attendu, ce dernier ayant été imprimé en quantité insuffisante. Les organisateurs chargés de l'accueil annoncent que le concert commencera avec une demi-heure de retard. Dans l'urgence de la foule qui continue de grossir, d'autres organisateurs s'affairent. Tout à la joie de ce succès inattendu, ils s'élancent tantôt à droite, tantôt à gauche, resserrent les rangées de petites chaises au paillage usé mais résistant, vont chercher celles qu'on avait remisées.

Une jeune fille, Victoire Jeneseki, suppose Hélène, se livre à quelques exercices de réchauffement en lançant ses doigts sur le clavier. Elle s'interrompt, frotte ses mains sans façon, souffle sur elles pour les réchauffer, puis les relance sur les touches. Les enfants ne sont pas en reste. Ils bousculent les adultes, demandent pardon sans attendre qu'on le leur accorde, filent à nouveau. Ils cherchent, et croient parfois avoir trouvé, de bonnes places : « Vite, papa, maman, dépêchez-vous ! » Mais les parents rechignent : « Trouvez mieux. À cet endroit, nous ne verrons ni le chœur ni la pianiste ! » Les enfants, stoïques, accueillent ces paroles comme un défi. Ils s'élancent, s'emparent momentanément d'autres petites chaises. Hélène ne s'étonnerait pas de les entendre s'écrier : « C'est là notre place au soleil », et s'ils le faisaient, elle résisterait à la tentation de briser leur innocence en leur déclamant la suite – « voilà le commencement et l'image de l'usurpation de toute la terre ».

Comme chaque dimanche, elle cherche moins, de son côté, une place au soleil que quelqu'un, un visage, celui d'une inconnue, une femme d'un certain âge qu'elle a l'impression de connaître tellement elle ressemble à l'écrivaine Anne Hébert. Moins assidue qu'Hélène, l'inconnue vient néanmoins régulièrement à Saint-Merry. Hélène ne l'a jamais vue ailleurs dans Paris. Peut-être ne viendra-t-elle pas aujourd'hui. Le froid mordant l'aura dissuadée de sortir… Hélène garde malgré tout espoir, et continue de scruter les alentours. Soudain, le visage connu de l'inconnue s'éclaire dans la foule anonyme. Hélène en est, comme chaque fois, étrangement émue, et croit presque rêver lorsqu'elle voit l'inconnue agiter pour la première fois une main en sa direction, oui, lui faire signe d'approcher. Une fois encore, Hélène résiste à la tentation de se retourner pour s'assurer que ce geste n'est pas plutôt adressé à quelqu'un derrière elle, quelqu'un qui, déjà, aurait répondu à cet appel. Elle aime ce mirage, veut y croire jusqu'à ce qu'il se dissipe de lui-même, mais la main s'agite toujours avec une étonnante énergie en sa direction, une main dont la blancheur est mise en évidence par le noir profond du manteau de laine angora, qu'Hélène reconnaît aussi, Hélène qui se prend à regretter de ne pas avoir mieux soigné sa mise. Ses bottillons sont sales et usés, l'ourlet de son manteau défait. Sa chaude écharpe, celle qu'elle ne porte plus que lorsqu'elle vient à Saint-Merry, a bouloché, mais elle doit faire fi de cette vaine coquetterie, se frayer non sans mal un chemin vers l'inconnue.

Les deux femmes se trouvent enfin l'une en face de l'autre.

Elles n'ont jamais été si proches. Dans le brouhaha environnant, un silence paraît les envelopper. À nouveau, l'esprit d'Hélène s'agite. Et si cette inconnue était le fantôme d'Anne Hébert venu lui demander des comptes, à elle, Hélène, qui a renoncé à la thèse qu'elle avait commencé à écrire sur son œuvre.

– Je vous attendais, murmure l'inconnue. Asseyez-vous.

Hélène se décide à laisser le sang lui monter aux joues si cela lui chante, à sourire à l'inconnue, à prendre place près d'elle. Une fois assise, elle fait mine de s'intéresser aux derniers mouvements d'une foule de moins en moins bruyante, de plus en plus recueillie dans un chœur de chuchotements. La nef est bondée. Le cœur d'Hélène, lui, comblé de battre tout près de celui de cette femme qui la fascine depuis si longtemps. Mais sa folie la reprend. *Cette femme est peut-être une morte-vivante. Elle est si blanche. Si maigre. Et si son cœur était celui d'Anne Hébert, ce cœur qui « file le sang qui s'émerveille ». Je dois dire quelque chose.*

– Bonjour, merci pour cette place. Je m'appelle Hélène. Je suis massothérapeute pour les enfants malades et maltraités. J'aime profondément la musique.

– Je vous connais un peu, vous savez, même si j'ignorais votre prénom et votre profession. Je sais que vous aimez la musique, et qu'à l'écoute de certains morceaux, vos larmes sont incontrôlables. Votre longue écharpe vous sert de refuge. Appelez-moi Anne-Laure.

– …

– J'enseignais le piano. Je suis à la retraite maintenant, mais à jamais mélomane. J'aimerais beaucoup écrire un livre sur l'art d'aimer la musique. Je demeure très curieuse des jeunes talents. J'ai entendu parler de Victoire Jeneseki, alors je suis venue. Hélène, je me permets de vous appeler Hélène, je serais aussi curieuse de savoir si je vous rappelle quelqu'un, car j'ai remarqué que vous m'observiez souvent le dimanche avec une... ferveur dont j'ai un peu perdu l'habitude à mon âge.

– Pardon. C'est que vous me rappelez l'écrivaine Anne Hébert. Je ne l'ai rencontrée qu'une fois, ici, à Paris, où je suis venue rédiger une thèse sur son œuvre, que j'ai décidé d'abandonner pour m'occuper des enfants. Vous ressemblez beaucoup à Anne Hébert. Je suis surprise de voir que vos prénoms sont presque les mêmes.

– Chère Anne ! Vous n'êtes pas la première personne à me dire que je lui ressemble, mais, vous savez, on ne me le dit plus guère dès lors qu'on sait qu'elle et moi avons été des amies. En fait, elle était d'abord et avant tout la grande amie d'une amie à moi. Je suis souvent allée chez Anne, rue de Pontoise. Pendant des années, je l'ai invitée avec cette autre amie à assister aux concerts de mes étudiants. Nous nous sommes d'ailleurs souvent retrouvées ici, à Saint-Merry, ou dans d'autres églises de Paris. Anne était très sensible à la musique. Elle aurait aimé être des nôtres aujourd'hui pour entendre ce chœur et cette jeune pianiste. Je connais très bien l'œuvre d'Anne Hébert, moins bien que vous sans doute, mais j'ai lu tous ses livres. Tous. Je dois dire que j'ai un faible pour *Kamouraska.* Oh, Anne !... Le feu sous la glace. Nous avons vécu des adieux déchirants, même si elle a voulu et réussi à faire preuve d'un courage hors de l'ordinaire au moment de sa maladie et de son départ. Elle nous a confié avant de partir qu'elle tenait à ce que son cœur repose sous la neige de son pays d'enfance. (Silence.) Sur quoi donc portait cette thèse que vous n'avez pas terminée ?

– Sur la femme damnée. J'étudiais, partout dans l'œuvre, cette figure-là. Et, pour *Kamouraska,* je tentais un parallèle entre Élisabeth d'Aulnières et Thérèse Desqueyroux...

– Le film de Claude Miller prend bientôt l'affiche. *Thérèse Desqueyroux* avec Audrey Tautou. Vous le saviez ? J'aimerais bien y aller avec quelqu'un. Nous pourrions y aller ensemble, si cela ne vous embête pas de sortir avec une vieille femme qui ressemble à Anne Hébert sans avoir son talent. Oh, voyez ! Victoire Jeneseki s'avance. Elle paraît timide, n'est-ce pas ? Et ce chœur, quelle prestance ! Tout ce rouge, que c'est beau !

Abasourdie et émue par cette conversation à bâtons rompus et cette improbable invitation au cinéma, Hélène tente de fixer son regard sur la jeune Victoire et sur le chœur, qui se tient tout près du piano. Bientôt, elle le pressent, elle oubliera la présence de la foule, les coïncidences qui dans la réalité dépassent la fiction, l'invitation d'Anne-Laure, la souffrance des enfants qu'elle a soignés toute la semaine… Chaque dimanche, Hélène est de ceux que la musique transporte et guérit.

Au micro, le maître de cérémonie procède aux présentations, puis invite les gens à briser la glace en serrant la main de leurs voisins immédiats. Des rires timides mais consentants fusent dans l'église, rires que l'acoustique amplifie miraculeusement. Hélène, tout à fait sûre à présent que l'inconnue près d'elle n'est pas un fantôme, se réjouit à l'idée de pouvoir prendre dans la sienne la main d'Anne-Laure, dont elle découvre avec étonnement la chaleur bienfaisante.

Victoire Jeneseki est déjà assise au piano. Soudain, son jeu explose dans une virtuosité extrasensible. Elle a choisi, Hélène les reconnaît aussi, des pièces exaltées et difficiles où semblent vivre cachées l'âme de Debussy, celle de Chopin, celle de Prokofiev… *C'est toute l'église qui va s'envoler,* rêve Hélène. Entre chaque pièce, on applaudit la talentueuse pianiste avec une gratitude presque fiévreuse. Ses mains agiles et puissantes transportent de joie des centaines de personnes. Elle a droit, chose rare à Saint-Merry, à une ovation, et se retire finalement presque sur la pointe des pieds, ne voulant pas voler la vedette aux enfants du chœur, dont les voix s'élèvent après en avoir reçu le maternel et vigoureux signal.

Trois pigeons, entrés subrepticement dans l'église, prennent place sur le sol, tout près d'Anne-Laure qui ne bronche pas – déjà emportée sans doute par les vibrations d'un cristallin *Sanctus.* Les trois congénères roucoulent les uns contre les autres. Hélène les voit enfoncer leur petite tête dans leur fourreau de plumes avant de fermer les yeux. Elle aussi, ce dimanche, comme tous les autres dimanches, devrait s'abandonner à la musique, ne pas se laisser intimider par la présence d'Anne-Laure à ses côtés, fermer les yeux. Elle y consent enfin.

Plusieurs chants russes traditionnels s'enchaînent dans l'allégresse. Le chœur s'emballe. Le cœur d'Hélène aussi. Le miracle dominical aura lieu. Personne n'en sait rien, mais la petite chaise d'Hélène quitte le sol chaque dimanche. Aujourd'hui, le miracle se produit à nouveau. Hélène, sur sa petite chaise, lévite. Toutes deux prennent rapidement de l'altitude et tanguent de joie au-dessus de la foule comme dans un tableau de Chagall. Le parterre est remplacé par l'image de steppes et de champs enneigés sur lesquels aujourd'hui un piano noir file comme un traîneau miroitant. Hélène n'est plus livrée qu'aux seuls mouvements involontaires de son corps, à ceux de son sang qui file l'oxygène, à ceux de ses osselets qui font vibrer ses tympans.

Mais la joie ne dure pas, car Hélène est atteinte par les premiers accords d'un *Ave Maria* qui, à tout coup, la font pleurer. Si elle avait pu lire par avance le programme, elle se serait assise à l'écart, ne se serait pas ainsi confiée à la musique. Elle sent tout son corps se crisper. En bas, sur la neige, tremble un chœur de femmes. L'une d'elles est en train de lui donner la vie. *Ave Maria.* Une immense nappe de sang rouge et mouvante s'affole sur la surface gelée. Tout près, une autre femme, déjà, tricote pour elle une écharpe infinie. *Ave Maria.* Une autre encore écrit sur le sol comme sur des pages de neige. *Ave Maria.* Hélène sent son cœur battre trop fort. Elle veut redescendre, rouvrir les yeux, rejoindre le sol de pierre, revoir la foule, retrouver Anne-Laure et le tout petit chœur des pigeons. Mais sa chaise poursuit sa lévitation sans qu'Hélène y puisse rien. Sur le bord de ses cils, elle sent une larme grossir comme un globe géant. Il ne doit pas tomber sur l'invisible foule. Et son écharpe, où est-elle ? Hélène est sur le point de crier quand la main chaude d'Anne-Laure se pose sur la sienne, glacée. D'une voix blanche, Hélène parvient à supplier Anne-Laure de l'aider à redescendre.

– Tirez les ficelles, Anne-Laure… Je vous en supplie. Les ficelles.

– Je tire les ficelles, Hélène. Je les tire très doucement.

Anne-Laure connaît les ficelles invisibles des petites chaises d'église. Elle sait l'art de leur faire prendre ou perdre de l'altitude. Hélène a rouvert les yeux. Chevelures et chapeaux ont pris la place des steppes et des champs. Sa chaise tangue encore doucement. Elle va bientôt se poser comme un oiseau sur un sol où roucoulent encore des pigeons. Hélène sent à nouveau autour de son cou sa longue écharpe, chemin de laine où courent pour l'éternité les mains d'une femme qui l'ont soignée comme celles d'une mère.

Le chœur d'enfants s'est tu. Les applaudissements ont pris fin. La foule s'est retirée. C'est au tour des pigeons de s'envoler. Les organisateurs remisent à présent les chaises.

– Hélène, je vais vous faire une confidence. Anne aimait nous réciter par cœur les poèmes de son cher cousin, Saint-Denys Garneau, et ce que ce poète attendait d'une voix

– qu'elle se glisse, très doucement, sans le briser, dans son silence intérieur –, j'ai toujours pensé que seule la musique pouvait l'offrir. L'art d'aimer la musique consiste à permettre à ce miracle de s'accomplir. Je vous apprendrai cet art, Hélène. Je vous l'apprendrai.

Lettre à mon frère Vincent

À Anne

Vincent, mon cher Vincent,

Il fait nuit. Comme chez toi. Je ne parviens pas à dormir. Une fois de plus, j'ai du mal à me tenir seule dans cette chambre qui ressemble, tu le sais puisque je te l'ai si souvent décrite, à celle que tu as tant aimée de ton vivant. N'y manquent que tes bottines boueuses sur le plancher, mais en un instant, elles y seront. Il me suffit de rêver ou d'écrire que nous avons pu, toi et moi, nous endormir enlacés, que tu les as déposées là, sur le sol de notre chambre, avant de me rejoindre dans notre lit… Tiens, elles sont là. Je les vois. Mais le rêve et l'écriture ont toujours une fin. Et, déjà, je dois laisser tes bottines, qui ont illuminé un trop bref instant notre chambre, je dois les laisser s'éloigner, se perdre avec toi dans le lointain. Je me retrouve seule. Il fait nuit. Comme chez toi. Je ne sais plus comment trouver le sommeil, mais cette fois, la mélancolie n'y est presque pour rien. Si je ne dors pas, c'est surtout à cause de cette fleur dans l'autre pièce. Heureusement que j'ai toujours sous le lit mes carnets de croquis, ceux où je t'écris, depuis tant années, toutes ces lettres que tu ne recevras jamais. Le bon docteur Gachet me dit que je peux continuer d'entretenir sans crainte cette correspondance, qu'elle est une espèce de *jardin secret* ne faisant de mal à personne. Je m'efforce de le croire, mais il m'arrive de douter de ses paroles, car s'il est vrai qu'il m'arrive de tourner et de retourner ma langue comme si je bêchais la terre, de semer mes phrases avec le fol espoir qu'elles portent leur fruit chez toi, je dois bien me rendre à l'évidence : dans mon jardin, aucune fleur ne se tourne vers le soleil. Mes carnets de croquis s'entassent sans beauté sous le lit comme s'ils dormaient avec toi, chez toi. Mes carnets se mêlent à ta poussière. Lorsque l'image du jardin s'efface, la tristesse s'empare de moi, et pour la combattre, je t'écris avec plus d'ardeur encore. Mais cette nuit, les choses sont différentes. Un soleil vivant est entré chez moi. Dans l'autre pièce, il y a une vraie fleur. Vie de la vie. C'est bien à cause d'elle que je n'arrive pas à dormir. Cette fleur me fait peur, Vincent, et pourtant, elle m'attire. Moi qui ne me suis jamais résolue à t'abandonner à ton sort, je te demande de m'aider à voir la beauté de cette fleur. Mon enfant, mon frère, ne crains pas la vie qui est encore en moi, même si elle a quitté ton corps. Souviens-toi du fol amour que tu avais ici pour la nature, la gaieté, le bonheur, l'espérance, pour toutes les formes et les couleurs. Souviens-toi de cette vie qui t'appartient encore même si tu te l'es enlevée, de cette vie qui n'a plus pour exister hors de toi que tes tableaux, ceux que tu as abandonnés sur le chemin, comme tes bottines. Toi, que j'aime et comprends plus que moi-même, apprends-moi à aimer cette fleur nouvelle qui m'effraie, cette fleur dont le cœur trop noir ressemble à ta nuit et me laisse imaginer un œil par lequel tu me regarderais vivre encore, jaloux peut-être de cette vie qui continue sans toi. Apprends-moi à aimer cette fleur qui me donne le vertige, un vertige semblable à celui que j'éprouve les nuits où j'entends battre très fort ton cœur contre le mien. Cher Vincent, laisse-moi te raconter comment cette fleur d'immortalité est arrivée ici. J'ai toute la nuit devant moi.

Tu sais la joie que j'ai eue il y a quelques semaines en faisant enfin paraître ma longue étude sur ton œuvre. Mon éditeur m'a convaincue, en dépit de ma timidité maladive, d'accepter de donner une conférence à l'université pour présenter mon travail. Le docteur Gachet, lui, m'a donné quelques cachets pour dormir. Pendant toute la semaine qui a précédé la conférence, je ne t'ai plus écrit. Je dormais enfin à poings fermés. Le jour venu, j'ai failli tout annuler. Le docteur Gachet a doublé la dose d'anxiolytiques, et j'ai pu prendre la parole. Toutefois, au moment des applaudissements, trop nourris, ma présence en ces lieux m'a paru déplacée. Ma timidité a repris le dessus. J'ai craqué. Je me suis levée et j'ai quitté la salle. Je me suis retrouvée dehors. Le docteur Gachet serait déçu, mais il comprendrait que j'avais tout donné. Le soir même, au téléphone, il m'a expliqué que je devais me reprendre en invitant quelques personnes chez moi. *Des invités, chez moi ?* C'était bien ce qu'il disait. Il dressa lui-même la liste : mon éditeur et sa femme, des professeurs d'histoire de l'art intéressés par mes travaux et, bien sûr, l'organisatrice de ce cycle de conférences sur ton œuvre, la trop énergique Frédérique. *Vous devenez fou, docteur Gachet ?* Non, il avait toujours toute sa tête et, derrière elle, une petite idée : son épouse. Elle viendrait m'aider à lancer les invitations, puis, le jour J, à mettre de l'ordre dans mon appartement et à préparer des bouchées. Ce ne serait qu'un petit 5 à 7, vite passé. Le lendemain, Mme Gachet et moi adressions ensemble les invitations sur de jolis cartons. Mme Gachet est une femme anormalement gentille et prévenante. Je ne croyais pas que cela pouvait exister dans la vraie vie. Elle faisait tout, vraiment tout, pour m'aider, je le voyais bien. Je la sentais tout excitée à la seule idée de me rendre service, comme si son propre équilibre en dépendait. Une jolie couverture recouvrirait le lit, « si vous le voulez bien, Viviane ». Il y aurait aussi de beaux coussins de soie sur mes chaises d'osier, « si vous êtes d'accord, bien sûr ». Mme Gachet me prêterait des vases colorés, « si vous n'en avez pas »… Puisqu'il me fallait savoir quoi dire et quoi faire, Mme Gachet me prêta un petit guide intitulé *Normes et usages en société.* J'étais rassurée. J'ai soudain eu envie d'ajouter son nom à la liste des invités, mais je voyais mal la femme de mon psychiatre à cette fête. Je me suis donc contentée de la remercier avec chaleur. J'ai étudié le guide pendant plusieurs jours. Il n'y avait rien dans tout cela de bien sorcier. Je me sentais prête. Plus tôt aujourd'hui, Mme Gachet et moi avons rangé l'appartement, déplacé quelques meubles, recouvert le lit, préparé d'appétissantes bouchées, mis des bouteilles de blanc et de rosé au frigo ainsi qu'une bouteille de limonade rose. C'était pour moi, de la part de son mari. Je ne devais en aucun cas boire de l'alcool, avait-il insisté. Avant de partir, Mme Gachet m'a embrassée sur les deux joues. J'ai pu respirer de plus près son capiteux parfum. J'ai eu la soudaine envie de la serrer dans mes bras, mais tu me connais, Vincent, je n'en ai rien fait. J'ai pris un long bain. J'ai soigné mes cheveux, mes sourcils, mis une laque transparente sur mes ongles… J'ai repensé tout l'après-midi à ce que m'avait dit et répété Mme Gachet. Je devais apprendre à « célébrer », à « faire la fête », à « marquer le coup ». Ensuite, je serais à nouveau seule, seule avec toi, Vincent. Toi, tu avais Théo. Moi, je n'ai toujours eu que toi. À seize heures trente, on a sonné. J'étais prête, mais un peu contrariée de cette avance, jugée très impolie dans le guide que j'avais étudié avec mon application d'éternelle écolière. C'était Frédérique, la tempétueuse Frédérique ! Il pleuvait, elle n'avait pas voulu attendre dehors. Je la comprenais, bien sûr. Tant pis pour *Normes et usages* ! Pour me faire rire sans doute,

Frédérique avait caché son visage derrière l'immense fleur de tournesol qu'elle m'apportait. J'ai retenu mon cri, reculé, songé à quitter la pièce, mais cette fois, j'étais chez moi, non plus à l'université, et j'attendais des invités. Comment tenir le coup ? Je devrais bien me résoudre à toucher cette fleur, à la plonger dans un vase, mais lequel ? Tous les vases de Mme Gachet étaient minuscules, non, c'est inexact, ils n'étaient pas minuscules, ils étaient de taille normale, mais pas cette fleur. J'étais bouche bée. Pour bien faire, mon invitée s'est mise à parler, à parler pour deux dans une véritable tempête de mots. Elle parlait comme si je n'étais pas là, et peut-être est-il vrai que je ne l'étais pas tout à fait puisque, tu le sais, je suis comme Camille Claudel, « il y a toujours quelque chose d'absent qui me tourmente », quelque chose ou quelqu'un que je ne verrai jamais. La voix de Frédérique me parvenait de derrière la fleur qui, à cause de cela, avait l'air encore plus humaine. Une fleur ventriloque. J'étais épouvantée. Je n'en avais jamais vu de si longue, pas même dans tes tableaux, à la tête si grosse, presque une bête, incrédule, la pauvre, de se retrouver ici.

– Viviane, j'ai tout de suite senti que vous aimiez vraiment les fleurs. Peu de gens sur cette terre les aiment vraiment. Peu de gens aiment *vraiment* la vie de toute façon. L'autre soir, à l'université, votre exposé sur Van Gogh nous a éblouis. Jamais rien entendu de tel. Vous le saviez ? Mais non, vous ne le savez pas. Comment pourriez-vous le savoir ? Vous êtes partie si vite. Vous êtes une originale, Viviane, mais c'est en vous écoutant parler des fleurs, des champs, de la chambre et des bottines de Van Gogh que j'ai senti votre puissant amour de la *vie vraie*. J'ai beau être une universitaire rompue au travail cérébral, en mon for intérieur, je suis d'abord et avant tout une sensitive, une intuitive.

Je demeurais silencieuse et me demandais si j'avais *vraiment* invité cette femme et tous les mots, toutes les phrases et tous

les paragraphes qu'elle contenait. Rien ne semblait pouvoir
l'arrêter.

– Mon voisin est fou des tournesols, vous savez. Sa cour en
est pleine. Il n'y a que ça chez lui, des tournesols. Sa monomanie
nous amuse beaucoup, mes autres voisins et moi. C'est assez
spectaculaire. Croyez-moi, Viviane, on met des gens à l'asile
pour moins que cela. Mais il est gentil, ce type. Il ne ferait pas
de mal à une mouche. Il n'aime que deux choses dans la vie :
les fleurs et les oiseaux. Nous l'avons baptisé saint François.
Au fond, ce pauvre homme met de la beauté dans notre quartier.
J'ai donc demandé à *saint François* la permission de cueillir
une de ses fleurs. Il n'a pas hésité un instant à me l'accorder,
heureux que je m'intéresse à l'objet de son obsession. J'ai pris la
plus longue. Impressionnante, n'est-ce pas ? Les racines étaient
profondes, voyez. Pardon, il y a encore un peu de terre, et avec
la pluie, elle est un peu boueuse, mais je sais, je l'ai senti, que
cette boue ne vous déplaît pas puisque vous aimez, je le sens,
la vie vraie, Viviane. Votre prénom vous va d'ailleurs à ravir.
Dites-moi maintenant, je peux entrer ?

J'ai reculé, Vincent, mais Frédérique, elle, allait de l'avant…

– Bon, je sais, c'est un peu hors normes comme cadeau,
mais, nous intéressant à l'art, nous sommes capables de faire
fi des conventions, de *ce qui se fait* et de *ce qui ne se fait pas,*
bref de toutes ces âneries, hi-han ! Nous n'en sommes plus là.
Je me trompe ?

Comme j'aurais voulu que Mme Gachet me tire d'embarras.
Étrangement, j'éprouvais pour cette Frédérique, tirée à quatre
épingles, magnifiquement coiffée mais quasi délirante, une
réelle sympathie, même si quelque chose en elle, comme
dans la fleur qu'elle m'apportait, m'effrayait, quelque chose
de trop présent, de trop vivant pour moi. Moi que l'absence
taraude. Je suis tout de même arrivée à lui faire signe de

s'avancer avec sa créature sacrifiée aux fichus *normes et usages* voulant qu'on offre des fleurs, et celle-ci était malade d'avoir été arrachée à la terre. Elle avait crié, j'en suis sûre : *Non, je ne veux pas quitter cette terre, je veux rester ici !* Mais son cri s'était perdu dans le vent. Cette fleur, forcée d'interrompre sa danse hypnotique, son hymne au soleil, cette fleur venait contre son gré mourir chez moi. Je me félicitais secrètement de n'avoir pas hurlé d'horreur en la voyant pénétrer, tête première, dans mon minuscule vestibule. J'avais reculé, certes, mais je n'avais pas cédé à une crise nerveuse. Je progressais, peut-être ? Petit à petit, j'ai pu retrouver l'usage de la parole. *Oh, Frédérique, je suis touchée par votre attention. Je suis simplement un peu... surprise. Je ne m'attendais pas du tout à cela, mais j'aurais dû y penser. Van Gogh, les tournesols, oui, c'est bien trouvé. Cette fleur est très jolie, presque humaine... Ne trouvez-vous pas, Frédérique ? Un peu effrayante aussi, peut-être, non ? Je crains de ne pas avoir de vase adéquat pour l'accueillir.* Rien ne nous séparait plus, cette fleur et moi. Rien ne me protégeait plus de la vraie vie. Déjà, nous respirions le même air. Elle suffoquait. Moi aussi. Pour gagner du temps, tout en restant polie, j'ai demandé à Frédérique : *Blanc ou rosé ?*

– Viviane, je crois que pour l'instant, si vous me le permettez, je préférerais retirer mon imperméable avant l'arrivée des autres invités, et que vous preniez cette fleur. Je crois deviner que vous êtes en proie au phénomène de l'inquiétante étrangeté. Vous avez du scotch ? Avalez-en une rasade.

Je n'ai que du blanc et du rosé pour mes invités, Frédérique, et un peu de limonade rose pour moi, car le docteur Gachet m'interdit tout alcool.

– Le docteur Gachet ? Vous avez dit Gachet ? Vous avez de l'humour ! C'est du plus haut comique !

Frédérique ne voyait pas mes yeux remplis de larmes, tout comme elle n'avait pas entendu le cri de la fleur qu'elle avait arrachée à la terre. Pourtant, cette femme n'était pas cruelle, je le sentais bien. Les autres invités arriveraient sous peu. Je craignais de tout gâcher. Soudain, le titre d'un autre livre que celui de Mme Gachet est venu à ma rescousse, *La vérité en peinture.* Ce livre m'avait tant inspirée pour mon étude sur ton œuvre, il pourrait bien aussi m'inspirer dans la vie, où la vérité pouvait toujours servir. Je devais dire enfin la vérité à quelqu'un d'autre que toi, cher Vincent. *Frédérique, vous avez raison. Ce doit être l'inquiétante étrangeté. Freud... Là encore, c'est bien pensé. Vous êtes très forte, mais moi, pour vous dire la vérité, je suis très fragile. Il se trouve que, pour des raisons qui me sont en partie mystérieuses, les fleurs de tournesol, comme plusieurs autres choses, ne font pas que m'inquiéter : elles m'apeurent, m'indisposent, me font horreur. Vous n'y êtes absolument pour rien. Votre geste est délicat, mais je suis absolument incapable de toucher cette fleur. Les autres invités vont arriver dans quelques minutes, et je crains que ma petite réception, qui me tient bien à cœur, ne soit gâchée par ma faute. Aidez-moi, Frédérique, je vous en prie.*

À partir de là, Vincent, je ne sais plus très bien ce qui s'est passé. J'ai vu l'immense fleur de tournesol tomber sur le sol, tête première. Frédérique a retiré son imperméable à la vitesse de l'éclair, l'a suspendu avec agilité sur un cintre, s'est assise sur mon tabouret, a retiré ses chics bottillons de suède pour enfiler de non moins élégants escarpins. Puis, elle est entrée. On aurait dit qu'elle vivait avec moi depuis toujours. Elle a foncé vers la cuisine, a pris un linge sur le comptoir, est revenue vers moi, et, malgré sa seyante robe du soir et ses escarpins, s'est agenouillée, a essuyé le sol qu'elle avait sali, a pris la pauvre fleur à moitié morte dans ses bras, et a glissé avec une délicatesse maternelle le chiffon le long de la tige, tout cela dans un silence dont je n'aurais jamais cru cette femme capable. Il n'y avait dans tous les gestes de Frédérique ni impatience, ni ironie, ni méchanceté. Elle ne m'en voulait pas. Elle ne me jugeait pas indigne de cette vie. Elle répondait à mon appel. Je la regardais s'agiter avec efficacité. Je l'admirais de tout mon être, comme j'avais admiré plus tôt Mme Gachet. Tout semblait si simple pour ces deux femmes, pourtant si différentes. La nature et la culture. La raison et la folie. Le normal et l'anormal. Tout cela n'avait plus de secret pour elles.

– Apportez-moi un seau avec un peu d'eau, Viviane. Faites vite. Je m'occupe de la fleur.

Frédérique semblait savoir quoi faire pour sauver cette soirée. J'ai apporté le seau. Elle y a plongé la fleur. En moins de deux, sans réclamer mon aide, sans demander mon autorisation, j'ai vu cette femme déplacer avec une énergie aimante mon paravent japonais et le mettre devant la fleur.

– À présent, Viviane, allons retoucher ensemble notre rouge à lèvres.

Quand on a sonné à la porte, Frédérique s'est spontanément chargée d'aller ouvrir.

– Si d'autres invités t'apportent des fleurs de tournesol, je m'en occupe. Ne va pas te tourmenter.

Frédérique me tutoyait, comme toi et moi nous tutoyons, et je ne sentais en ce tutoiement aucune impolitesse, que la chaleur de la *vie,* de l'*intimité* et celle, si bienfaisante, de la *vérité.* Personne d'autre ne m'a offert de fleurs de tournesol ce soir. J'ai reçu des petits chocolats artisanaux, une bouteille de Jardin de Givre et des iris versicolores, beaucoup d'iris, dont je n'ai pas peur heureusement. Nous avons bien ri des iris. Ils sont pour toi, mon frère, ces iris et ces rires ! Frédérique m'a aidée à arranger joliment les bouquets dans les vases, à faire circuler les plateaux de bouchées, à servir le blanc et le rosé. Elle m'a souri quand elle m'a vue verser dans ma coupe un peu de limonade rose. Je fais tout ce qu'il faut pour guérir. J'ai une immense confiance envers le docteur Gachet. S'il me dit «pas d'alcool, Viviane», j'obéis. La soirée a été réussie. Les gens sont partis vers vingt-deux heures. Frédérique, elle, s'est amicalement attardée. Elle m'a aidée à ramasser les verres, à essuyer les petites tables. Avant de partir, elle m'a demandé si je voulais qu'elle rapporte la fleur de tournesol. *Non, Frédérique, laisse.* Moi aussi, maintenant, je la tutoie. J'ai même osé parler de toi, mon frère. *Vincent va m'aider. Je vais peut-être apprendre cette nuit à voir cette fleur avec les yeux de la vie.* Frédérique ne s'est pas moquée de moi. Elle m'a plutôt donné un baiser très tendre sur les lèvres, même si cela ne figure pas dans le guide *Normes et usages en société.* Frédérique est partie en me promettant de m'appeler demain. Je me sentais bien. Hélas, cela n'a pas duré, car j'étais à nouveau trop seule dans l'appartement, seule avec la fleur de tournesol. J'ai tâché de prendre sur moi. J'ai lavé soigneusement les verres et les plats de service. J'ai passé le balai. J'ai repris un bain. Puis, je t'ai écrit, toute la nuit. Ma peur s'est dissipée, elle s'est perdue dans la nuit, et une idée lumineuse l'a remplacée : je demanderai à Frédérique de nous conduire aujourd'hui, cette fleur de tournesol et moi, dans le jardin de *saint François.* Je remettrai cette fleur en terre pour qu'elle y reprenne vie. C'est là sa place au soleil.

Viviane

Le pot aux langues

Ne me parle pas. Je veux être avec toi.
Antonio PORCHIA.

Un pot rempli de langues vinaigrées, crois-le ou non, la femme du couple m'en a offert un ce matin, dans le stationnement du supermarché. Elle et lui. Tu te rappelles ? Leur amour. Leur petite voiture écologique. Toi et moi. Notre amour. Notre horrible Hummer. La joie de vivre du week-end, qui contaminait tout, qui colorait les moindres rencontres, les visages connus et inconnus. Elle et lui. Ils nous ressemblaient Judy, ma Judy. Tu verrais à qui je fais allusion si je te parlais pour vrai. Nous les voyions chaque samedi. Tu te rappelles ? Comme toi, ils achetaient toujours des langues dans le vinaigre. La femme nous avait déjà dit, alors que nous faisions la file à une caisse, qu'ils en raffolaient tous les deux. Elle et lui. Nous avions souri. Complices. Toi, tu savais bien que j'avais autant horreur de ça que du Hummer dans lequel nous roulions.

Je pourrais te le rappeler si je te parlais pour vrai, mais depuis que tu as décidé de partir, de me quitter, je ne te parle plus qu'avec une langue invisible. Les mots qui sont dans ma tête ne peuvent te peser, à toi qui me disais si souvent de me la fermer. Ton silence ne me pèse pas davantage. Je suis avec toi comme quand tu ne me parlais pas et qu'il y avait un peu de douceur entre nous.

La femme a dû remarquer que depuis des mois j'arrive seule dans l'horrible Hummer que tu m'as laissé, que je déambule seule dans les allées du supermarché, qu'il n'y a presque plus rien dans mon panier, et surtout pas de langues vinaigrées. Et ma tête, elle doit bien me trahir, ma tête, elle n'est ni la même ni la mienne depuis que j'ai perdu l'usage de la parole. Crois-moi, c'est devenu la tête de quelqu'un d'autre.

Ce matin, j'étais assise derrière le volant, prête à démarrer. La femme m'a fait signe de baisser la glace et m'a tendu le pot aux langues en s'exclamant : *What a beautiful day!* Ça ne s'invente pas. Je n'ai pas été capable de dire merci et moins encore de dire : *Thank you!* J'ai tenté d'esquisser un sourire, qui s'est vite transformé en grimace. Pourtant, je le sentais, il y avait dans le geste de cette femme de la générosité, une sorte de connivence maladroite. J'ai accepté le pot aux langues, comme s'il s'agissait d'un don tout naturel. Je l'ai déposé sur le siège passager. J'ai tourné sept fois la langue dans ma bouche pour continuer de me taire, pour ne pas me mettre à penser stupidement qu'à côté de moi, à nouveau, il y avait quelqu'un, que tu étais là, et que je pouvais me remettre à parler, à te parler, comme les jours où il y avait en toi de la joie de vivre.

Tu es partie, Judy. Tu m'as quittée. Pour une autre. Non, pour d'autres, pour toutes les autres. Et moi, je ne parle plus à personne.

J'ai fini par boucler en grimaçant la ceinture de sécurité autour du pot. Je devais être prudente. Il aurait pu tomber, le pot, tomber comme moi j'étais tombée, dans tes bras d'abord, puis dans le vide. Il aurait pu se fracasser lui aussi. Tout alors empesterait le vinaigre, pas seulement ma vie, Judy, l'horrible

Hummer aussi, celui que tu m'as laissé en me disant de le vendre pour rembourser tes dettes. Je devais faire très attention. J'ai donc resserré la ceinture autour du pot. Aurais-je dû faire la même chose avec toi ? C'est stupide. *Chacune doit rester libre.* C'était *notre* devise, criais-tu. Non, Judy, ma Judy. C'était *ta* devise.

J'ai enfoncé la clé dans le démarreur pour faire tourner le moteur. J'ai senti en moi vrombir un peu de colère rentrée. Je n'aime pas la violence, tu le sais. En ajustant le rétroviseur, j'ai vu mon horrible visage. Celui que tu as déjà aimé a complètement disparu, je ne sais pas où il est passé, s'il renaîtra un jour. Il s'agit vraiment d'autre chose maintenant, oui, de quelqu'un d'autre. Je ne vais pas te le décrire, cela ne te dirait rien, tu ne verrais pas qui c'est, tu ne reconnaîtrais personne.

J'ai quitté le stationnement du supermarché. Chaque fois que je jetais un œil dans le rétroviseur, je tâchais de ne pas m'apercevoir, de ne me concentrer que sur l'extérieur. Par automatisme, car je ne suis plus qu'une addition d'automatismes depuis des mois, j'ai retrouvé le chemin de la maison, de notre maison. C'est stupide. Je me décris à moi-même mes propres pensées, mes propres gestes.

Une fois arrivée, j'ai détaché le pot aux langues, puis l'ai transporté précautionneusement dans la maison. Je lui ai fait une place dans le frigo. Facile ! Le frigo est comme moi, presque vide. Je me suis rendue au salon, et je me suis assise à ta place sur le divan, me demandant ce que je ferais de cette journée de plus, de cette journée de trop. Il n'y a que dans l'horrible Hummer que je ne prends pas ta place. Partout ailleurs, je cherche ta chaleur, celle que tu savais m'offrir dans tes bons jours. Je pourrais peut-être avaler une langue ou deux, mais non, j'ai toujours détesté ça, tu le sais bien, Judy, les langues dans le vinaigre, cette débauche de langues que tu avalais goulûment sous mes yeux, toutes ces papilles de porcs et de truies dans ta bouche bien-aimée. Je dois refaire ma vie, Judy, me refaire un visage, retrouver l'usage de la parole et de mon cœur. Me débarrasser du pot aux langues, tout jeter dans les toilettes, actionner la chasse plusieurs fois dans un tourbillon définitif de baisers. Et sur l'horrible Hummer, je vais écrire *À vendre/ For sale*, Judy, ma Judy.

Je ne la vois plus

Michaël bondit hors de son fauteuil comme une bête hurlante. Il arpente la tanière de sa psychologue en vociférant. Gabriela voit bien avancer les aiguilles de son horloge, mais l'heure du miracle, elle ne la voit pas, ne peut pas la voir. Elle dénoue ses cheveux. *Nous sommes peut-être hors séance, mais non pas en orbite,* se rassure-t-elle. L'heure du miracle, cette psychologue le sait, jamais les aiguilles de son horloge, aussi surréaliste soit-elle, ne l'indiquent. Gabriela pourrait bondir elle aussi, élever la voix, rugir, appuyer sur le bouton d'alerte. En deux temps, trois mouvements, Michaël serait maîtrisé, expulsé sans autre forme de procès. Mais celle que depuis près d'un an Michaël surnomme l'ange Gabriela ne fait rien d'autre que dénouer ses cheveux. Elle écoute son patient d'aussi près que possible, le suit dans les méandres de sa ténébreuse colère, l'accompagnera jusqu'au bout de sa nuit. Jamais il n'a parlé autant, avec ce mélange d'aplomb et de peur. Jamais il ne l'a ainsi effrontément tutoyée.

– Tous tes diplômes sur les murs, c'est comme pour l'horloge de Dali, une décoration ? Tu es une fétichiste des sceaux ? Ils te rappellent tes fiévreuses nuits d'études ? Tu as un doctorat en psychologie, oui ou merde ? Dis-moi la vérité,

c'est bien toi qui as écrit les livres qui portent ta signature ?
C'est ton sosie peut-être qui donne des conférences ici, à
Paris, à Québec, à Montréal ?… Depuis la mort de mon père,
j'ai envie chaque matin de me défenestrer, de me faire éclater
la tronche sur la chaussée. Je t'en parle ouvertement pour la
première fois, et qu'est-ce que tu réponds : « Je vous entends,
Michaël. » J'espère que tu m'entends ! C'est la moindre des
choses que tu m'entendes. Je paie justement quelqu'un pour ça,
m'entendre. Et qu'est-ce que tu m'apprends ? Qu'un psychiatre
que je n'ai jamais consulté de ma vie est au fait de mon dossier
et qu'il aimerait me rencontrer. Notre lien de confiance, tu en
fais quoi ? Et le secret professionnel ? Je pourrais t'intenter un
procès pour manquement à l'éthique de ta profession. (Michaël
s'interrompt…) Je ne sais plus où j'en suis. Je tombe. Chaque
nuit, je tombe. Je me retrouve au réveil la tête fracassée sur
l'oreiller. Le seul fil qui me retient sur le balcon de mon
immeuble lyonnais, c'est mon fils, et encore… Le texto qu'il
m'a envoyé ce matin m'a fait gerber comme une femme
enceinte. Un minable texto ! Pas même capable de me parler
de vive voix. Je le plains. Tel père, tel fils. Il devient lâche.

– Un texto, Michaël ?

– (Sa colère le reprend.) Un texto ! Je t'en ai parlé tout à
l'heure, mais tu ne m'écoutais pas. Madame fixait avec des
yeux étranges les aiguilles de son horloge en ne pensant sans
doute qu'à son fric. Mon fils va devenir père ! Sa femme est
enceinte jusqu'aux oreilles. Je quitte Lyon pour les fêtes. Je
les verrai forcément. Impossible pour eux de me dissimuler
la « bonne nouvelle ». Ils attendent un garçon. Le mauvais œil
s'acharne ! Mon fils a perdu son grand-père par ma putain de
faute, et m'annonce, guilleret, que je vais moi-même devenir
grand-père. Mon petit-fils portera le prénom de mon père. Je
devrais m'en réjouir ? J'ai donné la vie à un écervelé ou à un

sans-cœur ? Cet enfant que je tiendrai dans mes bras sera un rappel accusateur de l'homme âgé que je n'ai pas su retenir, mon pauvre père, inconsolable depuis la mort de sa femme. (Bref silence.) Tu as détaché tes cheveux, Gabriela ? La journée est finie ? Quelqu'un t'attend ? Tu penses au bain que tu te feras couler ? Au verre de vin peut-être ? (Long, très long silence.) Excusez-moi, Gabriela. Pardonnez-moi. Je suis une bête. Je vous dédommagerai, n'ayez crainte. Je ne sais pas ce qui m'a pris. Ce fichu texto, sans doute. Je ne sais plus où j'en suis. Je m'en vais. Mettez-moi en contact avec ce docteur... Charvolin, c'est bien ça ? Au fait, il travaille ici, dans cette clinique ? Jamais vu son nom. Pourtant, je suis très observateur.

– Oui, Michaël, il travaille ici. Nous faisons équipe. Dites-moi à présent, vous lui parlerez *vraiment* au docteur Charvolin ?

– Drôle de question ! Évidemment.

– Comment lui décrirez-vous vos difficultés, Michaël ?

– Mes difficultés, vous les connaissez. Je ne vais pas tout vous répéter, moins encore maintenant que l'heure de la séance est plus que passée.

– J'insiste. Que lui direz-vous ? (Michaël se rassoit.)

– Eh bien, je lui dirai que je suis incapable de reprendre mon travail au Centre de recherche parce que j'y verrais mon père partout, que même le fait de passer sur l'avenue Charles-André m'est devenu impossible. Dès que j'aperçois l'observatoire, je fais demi-tour. Je lui dirai qu'à près de cinquante ans, je passe mes nuits à chialer comme un gosse. Je lui dirai que je n'ai pas touché une femme depuis la mort de mon père, que je ne bande plus, que je pense à mourir chaque matin, que l'homme que j'aimais le plus au monde – mon père, mon meilleur ami, l'ex-directeur du Centre, celui qui m'a tout appris – est mort par ma faute. Je lui dirai que je vais quitter Lyon, rentrer au Québec, vendre la maison familiale de Grondines, celle où j'ai grandi avec mes parents qui s'aimaient comme des fous. Ça suffit, Gabriela. Je ressasse.

– Et sur la mort de votre mère, Michaël, vous direz quoi ?

– Ce que vous savez déjà. Attaque cérébrale. Imprévisible. Ma mère avait une forme superbe, ses migraines occasionnelles mises à part. Et quelle tête ! Mon très cher père en a été anéanti. Il a remis sa démission, a quitté Lyon, est rentré au Québec, à Grondines. Seul. Trop seul. Il répétait sans cesse en pleurant : « Je ne la vois plus. » Nos échanges téléphoniques me sont devenus insupportables. Trop douloureux. Je l'appelais moins souvent à cause de ça. Il ne vivait désormais que pour moi, pour les observations du ciel que nous ferions ensemble à Grondines.

– Et sur votre prénom ?

– Ma mère voulait m'appeler Noël, vous le savez, parce que je suis né dans la nuit du 24. Mon père trouvait ça trop convenu. Ils ont fini par s'entendre sur Michaël, à cause des trémas qui rappellent ceux-là de Noël. Mes parents étaient pourtant athées comme des météorites. « Nous fêtons la lumière des étoiles et celle de ta naissance », me répétaient-ils chaque année. Eh bien, Gabriela, la nuit est tombée. Je le dirai au docteur Charvolin. Je ne suis plus capable d'écrire mon prénom en y mettant les trémas. Les trémas me font chialer.

– Sur la… *chute* de votre père, que direz-vous ?

– Que nous sommes montés sur le toit de la maison de Grondines, où nous avons construit il y a longtemps un promontoire pour l'observation du ciel. C'était le premier Noël sans ma mère. Il y avait du givre. J'ai pris soin de répandre du sable. Mon père était plongé dans une tristesse abyssale. Aucune des petites douceurs que j'avais apportées – le champagne, le foie gras, la rosette – n'avait réussi à l'égayer, pas même un peu. Malgré le sable, mon père a glissé.

– Michaël ?

– Quoi, Gabriela ?

– Vous mentirez aussi au docteur Charvolin ?

– Mentir ?

– Votre père n'a pas… glissé. Il n'y a rien d'accidentel dans cette chute.

– (Michaël ne retient plus ses larmes.) Gabriela, mon père a crié «Je ne la vois plus» et… s'est jeté dans le vide.

– Je sais, Michaël. Très vite, j'ai su. Et j'ai compris aussi que…

– … que je ne me pardonne pas de ne pas avoir saisi la profondeur de sa détresse.

– Michaël, le docteur Charvolin n'existe pas davantage que la version des faits à laquelle vous vous êtes accroché pour survivre depuis bientôt un an. La différence entre votre mensonge et le mien tient à ceci : je vous ai menti pour vous aider alors que votre mensonge, lui, s'il avait perduré, aurait fini par vous détruire. Tôt ou tard, l'heure de la vérité doit sonner en thérapie. C'est l'heure du miracle. Les trémas de votre beau prénom le sont aussi, miraculeux, Michaël. Efforcez-vous de les y remettre. Tâchez de voir que scintille en eux le regard bienveillant de vos parents, le même regard que celui avec lequel, j'en suis convaincue, vous veillerez bientôt sur votre petit-fils. (Gabriela renoue ses cheveux.)

– Votre mensonge m'a permis de vous dire enfin la vérité. Mon père s'est suicidé. Je n'ai pas su l'en empêcher. (Long silence.) La nuit est tombée. Vous permettez que je vous raccompagne ? Votre famille doit vous attendre.

– La vôtre aussi vous attend, Michaël, la vôtre aussi. Et moi, je vous attendrai la semaine prochaine. L'heure du miracle a bel et bien eu lieu. Notre travail pourra commencer.

(Gabriela se lève. Michaël l'aide à enfiler son manteau. Ils sortent.)

Lueur dorée

À l'époque où les fenêtres de ce collège s'ouvraient encore – c'était avant la climatisation –, il arrivait au vent d'y charrier la puissante odeur du fumier. Celle-ci ne manquait jamais de fertiliser de moites ou de complices sourires sur le visage des professeurs qui se saluaient cordialement avant d'entrer en classe.

Chacun vaquant à ses affaires, nul n'avait remarqué que c'étaient les jours d'épandage que choisissait Jean pour entrer dans sa classe avec la reproduction sobrement encadrée de *L'Angélus* de Millet, seul tableau qu'on pouvait admirer, les autres jours, sur l'un des murs de son bureau. Aucun collègue n'interrogeait Jean sur les objectifs pédagogiques d'un tel décrochage.

Accompagné, avec plus ou moins de ténacité, par l'odeur du fumier, Jean avait donc trouvé chaque année l'occasion de présenter son tableau préféré à ses étudiants et de leur raconter, d'un même élan, la célèbre parabole du semeur, dont la plupart d'entre eux n'avaient jamais entendu parler.

Jean était un esprit religieux sans religion, un esprit qu'il comparait souvent, pour lui-même, à un vieux meuble qu'on aurait décapé, puis longuement sablé jusqu'à en dévoiler les veines les plus fines, le grain le plus fin, mais en oubliant de le vernir à nouveau pour le protéger du froid et de la désillusion. Ainsi vivait-il, c'est-à-dire sans éprouver le besoin d'adhérer à une religion particulière, s'exposant plutôt à toutes, cherchant en chacune les ressources universelles d'une *pédagogie poétique*. Cela ne faisait aucun doute : Jean possédait un esprit pédagogique, une sorte de don qu'il avait pourtant longuement négligé. Plusieurs professeurs possédaient ce don, mais peu d'entre eux savaient véritablement le faire fructifier. Jean, lui, l'avait appris, mais difficilement, car il avait d'abord confondu ce don avec un autre : la vocation d'écrivain. Il n'était d'ailleurs pas le seul à commettre cette erreur. Jean avait donc erré.

Il avait composé des centaines de poèmes, qu'il n'avait jamais eu de joie à relire. Il les avait détruits. Délaissant la poésie, il avait entrepris plusieurs romans sans jamais en achever un seul. Il avait aussi remis vingt fois sur le métier des contes qui n'avaient jamais obtenu autre chose qu'un vague succès d'estime et quelques mots d'encouragement de la part de ses proches. En désespoir de cause, Jean avait même osé risquer sa maigre fortune intellectuelle, celle d'un esprit plus analogique qu'analytique, dans un essai étrange, dont il n'avait jamais trouvé la porte de sortie.

Il s'était enfin rendu à l'évidence. Il avait admis que, sur le plan de l'écriture littéraire, il avait tenté le possible et l'impossible. Il avait semé, semé, semé, sans jamais rien récolter. Si *à chaque jour suffit sa peine,* eh bien, à chaque décennie aussi. C'en était assez ! Sa vocation n'était peut-être pas littéraire, mais pédagogique.

Puisque son lance-pierre n'atteindrait jamais la Grande Littérature, et ne viserait toujours que des cibles à portée de cœur, Jean renoncerait à se prendre pour quelqu'un d'autre en bataillant contre Goliath. Son lectorat, gagné d'avance, serait exclusivement familial. Jean continuerait d'écrire ailleurs qu'au seul tableau, surtout depuis qu'on avait remplacé les verts, qu'il aimait tant, par des tableaux interactifs. Toutefois, ses élans expressifs se limiteraient désormais aux messages sensibles et sentis qu'il composerait à l'occasion des mariages et des enterrements des membres de sa famille élargie.

Au fil des saisons, les pages blanches et fantomatiques de ses livres seraient remplacées par les mouchoirs blancs avec lesquels sa chère marraine ainsi que les plus émotives de ses sœurs, de ses tantes et de ses cousines essuieraient quelques larmes de joie ou de chagrin.

Et quand, en lui pinçant les joues comme s'il était encore un gamin, sa marraine, presque centenaire, lui lancerait sans ironie : « Alors, c'est pour quand ? » Jean, qui avait toujours vécu seul, comprendrait que sa marraine ne faisait pas plus aujourd'hui qu'hier allusion à une fort hypothétique progéniture, mais bien, pour la centième fois, au premier livre qu'il écrirait et qu'elle attendait de lire avant de mourir.

Avec des yeux semblables à des barques rieuses qui n'avaient jamais de toute sa vie accosté au Pays de la moquerie, sa marraine lui répéterait : « Dieu sème des dons. C'est à nous de les faire fructifier… » Sans la contredire, Jean l'interromprait doucement. Il sourirait avec tendresse devant ce beau conte de fées qu'elle lui raconterait pour la énième fois. Cette femme pourrait bientôt quitter ce monde avec le sentiment du devoir accompli, car toute sa vie, elle avait arraché la mauvaise herbe du cynisme dans le cœur de ses proches, en les encourageant à rêver grand – même si les rêves qu'elle formait parfois pour elle-même étaient moins que minuscules.

Sa marraine, qui avait été une seconde mère pour Jean, ignorait toutefois ce qu'avait dit avant de mourir celle qui avait donné la vie à son filleul. Des mots que lui n'avait jamais oubliés, des mots qu'il n'avait jamais répétés. Il n'avait alors que seize ans et s'apprêtait à faire son entrée, d'abord comme étudiant puis à titre de professeur, dans ce collège, que maintenant il s'apprêtait à quitter, l'heure de la retraite ayant sonné. Sa mère, encore jeune et belle au moment de sa mort, il y avait de cela près de cinquante ans, lui avait dit : « Tu vas enseigner un jour, mon Jean. C'est écrit dans le ciel. Et c'est de là que je suivrai tous tes cours. Je ne manquerai aucune leçon. Travaille fort, mon Jean, et tu vas récolter. On ne récolte pas toujours la maladie et la mort pour seules récompenses en ce bas monde. Il arrive souvent, Jean, que l'on y récolte ce que l'on sème. Ne l'oublie jamais. »

Le regard de sa mère s'était alors adouci d'une étrange lueur avant de s'éteindre, une lueur dorée, semblable à celle que Jean découvrirait beaucoup plus tard dans *L'Angélus,* une lueur à la fois puissante et humble. Il l'avait reconnue, cette lueur dorée du regard maternel, lorsqu'il l'avait aperçue à Paris, en jetant ses yeux dans le ciel bouleversant du tableau de Millet.

Depuis, toutes les années où il avait enseigné, il n'avait pu s'empêcher ni de raconter la parabole du semeur ni de songer avec un amour infini à sa mère en le faisant. Ses étudiants les moins timides lui disaient parfois qu'il y avait une étrange lueur dans ses yeux lorsqu'il racontait cette histoire. Certains d'entre eux le lui avaient même fait savoir avec de fort jolis mots sur du fort joli papier.

Même si, à présent qu'il était impossible d'y ouvrir les fenêtres, le vent ne charriait plus dans les classes du collège la puissante odeur de fumier de jadis, même s'il fallait à Jean, comme à la plupart de ses chers collègues sans doute, redoubler d'amour et d'ardeur pour parvenir à toucher, sans PowerPoint, l'esprit ou l'âme des étudiants, Jean n'abdiquerait pas. Pour son dernier cours, il demanderait à ceux-ci d'éteindre leur portable, leur ordinateur, leur baladeur afin qu'il leur raconte, pour la première fois de leur vie et la dernière de la sienne, la parabole du semeur. Il les inviterait, avec cet amour pédagogique n'ayant hélas ! aucun nom, mais qui ressemble si souvent à de la poésie, il les inviterait, oui, à imaginer que flotte dans la classe une forte odeur de fumier. Cette invitation ferait naître, Jean en était sûr, un moite et complice sourire sur le visage de ses étudiants. Il les inviterait, le temps qu'il leur récite d'inoubliables poèmes, à ne pas quitter des yeux la lueur dorée que Millet a offerte à l'éternité.

Une fois terminé le dernier cours de sa vie, lorsque tous les étudiants seraient partis, il laisserait les derniers mots à celui qui s'était détourné trop tôt de la Grande Littérature, le jeune Arthur Rimbaud, celui qui avait eu, contrairement à Jean, la force de terrasser Goliath pour faire naître un monde nouveau : « *J'allais sous le ciel, Muse, et j'étais ton féal* », murmurerait-il, seul dans cette classe aux fenêtres scellées où il avait connu tant et tant de bonheur et où sa mère, sa Muse, son éternelle étudiante, ne l'avait jamais quitté. « *Oh là là ! que d'amours splendides j'ai rêvées !* » ajouterait-il doucement au moment de verrouiller la porte. Bien sûr, ses collègues auraient tôt fait de l'oublier, comment leur en vouloir, mais Jean se consolait en se disant que quelques étudiants, les jours d'épandage, se souviendraient peut-être de lui.

Braconnage

Quelques truites frétillaient toujours au moment où Mathieu les lançait sur la table pour les éviscérer et lever les filets. Il accomplissait cette tâche avec un plaisir trouble. Il s'assurait d'abord que la lame de son couteau à fileter ne soit pas émoussée – elle ne l'était jamais –, puis s'attaquait en priorité aux bêtes encore vivantes. Ce qu'il préférait, c'était enfoncer la pointe de son couteau dans l'abdomen d'une truite cherchant en vain son souffle, et l'éventrer d'un coup sec. S'il trouvait des œufs, Mathieu s'excitait, soudain maître de la vie et de la mort. Il ne résistait pas toujours à la tentation de se masturber et d'éjaculer sur les œufs, mêlant ainsi le fruit de ses entrailles à celui, visqueux et multicolore, des femelles qu'il mettrait bientôt à la poubelle. Il ne cherchait pas à comprendre ce qui l'envoûtait dans ces noces contre-nature. Depuis son enfance, qui n'avait rien eu de tendre, la vie n'avait retenu son attention que parce qu'en elle se cachait un trésor, la mort. Cela était encore plus vrai depuis que son père, condamné pour homicide involontaire, s'était supprimé dans sa cellule, après une année de détention pendant laquelle son comportement avait pourtant été irréprochable. Depuis, Mathieu prenait un soin maniaque de tout ce qui avait appartenu à son père : le camp de chasse et de pêche, la collection de couteaux, le matériel de sport, tous les dispositifs indispensables au bon braconnier, la collection de films *hardcore* et les romans de Patrick Senécal. Oui, la vie n'attirait Mathieu que parce qu'en elle se cachait la mort. La beauté ne l'attirait aussi que parce qu'elle voilait la laideur. C'était vrai avec toutes les filles qu'il avait eues. Belles et vivantes à l'extérieur. Laides et mortes à l'intérieur. Au lit, il exigeait qu'elles fassent le cadavre pendant qu'il s'enfonçait en elles avec violence, à la recherche du plaisir perdu. Nul besoin de GHB : ses conquêtes sombraient dans ses bras et le laissaient faire volontiers tout ce qu'il désirait, à croire qu'elles avaient bu cette drogue avec le lait maternel. Elles cédaient à ses caresses, parmi lesquelles *la prise de l'ours,* en gloussant de joie. Mais tôt ou tard, la passion s'émoussant, les filles en avaient assez et préféraient à Mathieu un partenaire avec qui regarder tranquillement *Dexter* ou *Six Feet Under* en pyjama. Mathieu se retrouvait seul, mais jamais pour très longtemps. Il revenait en forêt, au camp paternel, pour braconner, comme son père le lui avait appris. Il connaissait tous les dispositifs illégaux, et usait de chacun avec la ruse du vieux renard. Il retrouvait, en plus des livres envoûtants de Patrick Senécal, des appâts pour les canards, des filets pour le poisson et un projecteur pour tirer de nuit sur d'imprudents chevreuils. Il se distrayait ainsi quelques jours. De retour en ville, après avoir rempli son congélateur, il se lançait dans de nouvelles conquêtes amoureuses. Il possédait une belle tignasse et des yeux de chat sauvage ; il parlait avec une passion communicative des intrigues violentes et animales qu'il avait lues ; sa peau ressemblait à du cuir ; ses dents, à des crocs étincelants ; ses mains impeccablement puissantes faisaient rêver ; il portait un parfum savamment viril, des vêtements griffés, une barbe de trois jours. Qu'aurait désormais fait d'un cœur quelqu'un comme lui ? À la ville comme en forêt, sa gibecière déborderait bientôt. En pleine jungle urbaine, il partait braconner avec appâts et filets. Son regard était un projecteur prêt à tirer de nuit sur toutes celles qui auraient l'imprudence de s'approcher de lui ou de jeter un coup d'œil dans sa direction. Les belles de nuit seraient vite démasquées. Belles à l'extérieur. Laides à l'intérieur. En les pénétrant sauvagement, comme elles le réclamaient à grands cris, il reverrait l'agonie des bêtes de la forêt, et se prendrait chaque fois à regretter de ne pas avoir fait le décompte de toutes celles qu'il avait braconnées, seul ou en compagnie de son père, depuis son enfance. Dans ses fantasmes les plus fous, *Quelqu'un* – la majuscule avait ici son importance –, un Être supérieur aux yeux injectés de sang, tenait les comptes, comme Il les avait tenus pour son père jusqu'à ce que ce dernier aille trop loin. Mathieu, lui, n'irait jamais trop loin. Il en était sûr. Il ne faisait que jouir, là où son père avait quitté le jeu et le plaisir pour la réalité. Pourtant, c'était un enfant, son père, un tendre enfant. De cela aussi, Mathieu était sûr. Malgré le braconnage, les films pornos *hardcore,* les romans sanglants, son père était un tendre. C'était sa mère qui était violente. Mathieu lui-même en avait fait les frais. *Fini, le jeu ! Tu rentres !* l'entendait-il crier. *Descends de là ! Tu t'en viens !* l'entendait-il hurler. Mathieu devait se résigner à rentrer, à se laver les mains, à se mettre à table pour avaler sans plaisir des proies apprêtées sans amour. Il rêvait du jour où son estomac aurait enfin, comme son cœur, appris à jeûner. Sur l'eau ou au sommet d'un arbre, il lui arrivait de ne pas vouloir mettre fin à ses jeux pour aller manger. Il s'imaginait naufragé sur une île où il n'y avait pas une seule noix de coco… Mieux encore : kidnappé et laissé pour mort au sommet d'un arbre. Rien à faire ! Sa faim était toujours plus forte que son imagination. La mort dans l'âme et l'estomac dans les talons, il revenait sur terre. Une fois, une fois seulement, son imagination lui avait semblé plus puissante que son appétit, son goût de jouer et de jouir, plus puissant que son goût de vivre, et il avait vraiment tardé à obéir à sa mère. Il en avait eu le visage tuméfié pendant des jours. Son père était rentré au moment où sa mère, une beauté, laissait libre cours à sa laideur. Il avait assisté, impuissant, à la scène, puis crié : *Il a compris. C'est assez !* Contrariée, la mère de Mathieu avait redoublé de laideur. Était-ce la sienne, celle de son fils ou celle de son époux qu'elle cherchait ainsi à laver dans le sang ? Mathieu ne l'avait jamais très bien compris. *Tu vas trop loin,* avait encore crié le père de Mathieu avant de claquer la porte. Claquer la porte, il n'avait pas trouvé mieux à faire. La mère avait fini par se calmer. Ce soir-là, personne ne soupa. La mère, qui n'avait rien d'une infirmière de première ligne et qui se soignait elle-même très mal, le plus souvent en mêlant, au gré de sa fantaisie et de son désespoir, alcool et médicaments, fit de peine et de misère, de misère surtout, un pansement pour l'œil meurtri de son fils. Ce dernier avait mal partout et demanda la permission de se mettre au lit. Il s'endormit avant même que toutes ses blessures aient cessé de saigner. À l'aube, des bruits le tirèrent progressivement de sa torpeur. On sciait du bois. On coupait des planches. On clouait. Il avait l'impression qu'il était lui-même l'atelier où s'accomplissait tout ce travail. C'était son corps qu'on martelait, qu'on sciait, qu'on clouait. Une fois réveillé, il comprit qu'il n'en était rien. Mathieu réussit péniblement à se mettre à genoux dans son lit pour observer de la fenêtre le spectacle, trop rare, de son père en train de travailler. Il eut envie de se jeter dans ses bras quand il comprit que celui-ci lui fabriquait enfin la cabane qu'il réclamait depuis des années, celle qui lui servirait de refuge. Comblé, il resta néanmoins dans son lit, sans bouger. Pour la première et la dernière fois de sa vie, il pleura de bonheur, mais ne put le faire que d'un œil à cause de son maladroit pansement. Mathieu aurait sans doute été moins prompt à se réjouir s'il avait pu, même d'un œil, lire dans l'avenir, s'il avait pu s'apercevoir lui-même, juché dans cette cabane de malheur, ce soir sordide où se mêleraient aux cris stridents de sa mère saoule les hurlements de son père saoul. Ce soir-là, la mort dans l'âme, il reviendrait sur terre et verrait de ses deux yeux que son père, un tendre pourtant, il en était sûr, serait allé trop loin. Son père, cherchant à en chasser la laideur à force de coups, serait passé de l'autre côté du beau visage de sa mère. Il aurait frappé au cœur de la vie, là où se cache le trésor de la mort.

Porter plainte

Je suis tourmentée par la croix clouée sur le mur de la chambre que j'ai louée pour quelques jours chez les religieuses. Même si j'ai du mal à en supporter la vue, je ne cesse de la regarder. L'attente d'une révélation ? Peut-être. Je n'ose la toucher. Je crois qu'une pudeur superstitieuse m'en empêche. J'ai pitié de cette représentation torturée de l'homme. J'ai du mal à supporter que *cette* image du Christ soit partout privilégiée en ces lieux. Ce doit être ça qu'on appelle le *dolorisme*.

Si ma crainte du ridicule n'était pas si grande, je porterais cette croix à Amnistie internationale, oui, je porterais plainte. Je me réconforte comme je peux en me disant que personne ne reçoit un salaire à clouer manuellement les mains du Christ sur la croix et à styliser artistement les gouttes de sang qui jaillissent du plâtre blanc. La production a lieu machinalement, en usine. C'est comme au cinéma, le sang truqué sur la neige artificielle. Ce doit être ça qu'on appelle l'*humanisme*.

Sous cette croix, il y a une petite étagère Elle aussi me tourmente beaucoup. J'y ai rangé un puissant médicament contre la douleur, des compresses, des pansements, des onguents, des baumes, un livre sur la guérison, un pichet d'eau, des vitamines, quelques fruits frais et des dattes. Depuis que j'ai remarqué la croix, je n'ose plus m'approcher de l'étagère, et j'ai de plus en plus mal. Ce doit être ça qu'on appelle la *culpabilité du survivant.*

Les religieuses, elles, se sont-elles habituées à cette image horrifiante ? Leur foi guide-t-elle leur regard par-delà la douleur alors que mes pauvres yeux ne verraient qu'elle ? Oui, je le crois.

Eh bien, le ridicule ne me tuera pas, non. Je vais me lever et marcher. Je décrocherai le crucifix, prendrai mon médicament, croquerai une datte et enduirai mes plaies d'onguent. Je guérirai. Demain, j'irai porter plainte à Amnistie internationale.

On n'a pas idée de laisser ainsi souffrir quelqu'un pendant plus de deux mille ans.

Les taies

Laver. Tout laver. Jusqu'à l'usure. Trois fois consécutives, elle lave toutes les taies d'oreiller. Trois fois consécutives, elle verse du javellisant dans l'eau mousseuse. Immaculées, les taies claquent ensuite au vent tout l'après-midi. Le soir, elles sont repassées au fer très chaud, puis rangées avec soin dans l'immense armoire à linge qui embaume, depuis mon enfance, tantôt la lavande, tantôt le camphre.

Lorsque je surprends ma mère en train de déplier une taie d'oreiller, je suis encore étonné de l'émotion qui se lit sur son visage. Cela me fascine depuis l'enfance. On dirait qu'elle parvient à retrouver, dans les plis rigides qu'a laissés le fer sur le coton, les douces et chaudes secondes de sa vie. Dans ces moments-là, je suis convaincu que la joie du peintre devant son tableau, celle du poète devant son poème, celle encore de l'homme devant la maison qu'il a construite de ses propres mains, oui, je suis convaincu que cette joie n'égale pas celle qu'éprouve ma mère devant le méticuleux et maniaque travail qu'elle a amoureusement accompli.

Je l'observe aussi qui replace l'une après l'autre les boîtes de thé décoratives sur l'armoire. Parfois, il me semble deviner dans leur alignement un ordre secret, presque magique. Avant, c'étaient mes jouets qu'elle rangeait ainsi.

J'aime à la regarder créer et recréer chaque jour un ordre qui m'échappe. Dans ces moments-là, je ne peux lui parler, la questionner, lui raconter quoi que ce soit. Elle ne m'écouterait pas. Elle ne me répondrait pas. Dans ces moments-là, elle est tout absorbée en elle-même ou, plus précisément, dans la relation qu'elle entretient avec les choses de la maison.

Ma mère se bat depuis plus de soixante ans contre la saleté, la poussière, les microbes. Pourtant, tous les planchers reluisent ; tous ont subi quotidiennement les doux orages des eaux de savon.

Quand j'étais petit, elle époussetait avec tant de zèle les modèles réduits d'automobiles et de fusées que j'assemblais dans mes loisirs qu'elle ne me les rendait, les trois quarts du temps, que le lendemain, car elle mettait un temps fou à en recoller les morceaux.

Je me souviens aussi des bains interminables qu'elle m'obligeait à prendre, matin et soir. Je devais donc me résoudre à m'abandonner à ses soins plusieurs heures chaque jour ; c'est à cette époque que quelqu'un, un petit frère ou une petite sœur, m'a le plus manqué. Je savais bien qu'elle n'aurait plus tout ce temps à me consacrer si un autre enfant devait, lui aussi, faire sa toilette. Mais les années sont passées, je n'ai jamais eu de petit frère ou de petite sœur ; j'ai toujours été de plus en plus seul avec ma mère.

Mon père a quitté ma mère quand j'avais douze ans. Il avait parlé de… *maladie,* ma mère, elle, de… *passion.* Je n'y comprenais pas grand-chose. Ce que je comprenais toutefois, c'est qu'en quittant ma mère, mon père renonçait à moi. Je ne l'ai jamais revu. J'ignore où il habite, s'il pense encore à moi et ce qu'il est devenu.

Après le départ de mon père, ma mère m'a imposé des exposés interminables au cours desquels elle m'expliquait, par le menu, les tâches domestiques qui m'incombaient désormais.

J'ai toujours pensé qu'au fond elle n'avait pas été malheureuse du départ de mon père.

Il était parti en criant : « Ta propreté m'écœure ! »

Le pire, c'étaient les coups. J'enfonçais la tête dans mon oreiller pendant qu'ils pleuvaient sur le corps immaculé de maman. Le coton embaumait tantôt la lavande, tantôt le camphre.

Une fois l'orage passé, ma mère trouvait souvent refuge dans mon lit. Ses belles lèvres saignaient. Elle perdait beaucoup de sang sur l'oreiller. Voyant que je pleurais à ses côtés, et cherchant à me consoler, elle me disait tout bas, avec difficulté : « … ce n'est rien… je laverai…, nous laverons tout ça demain. Dors, mon amour. »

Super 8

Sois avare de tes paroles et les choses s'arrangeront d'elles-mêmes.

LAO-TSEU.

Tchouang-Tseu rêva qu'il était un papillon, voletant, heureux de son sort, ne sachant pas qu'il était Tchouang-Tseu. Il se réveilla soudain et s'aperçut qu'il était Tchouang-Tseu. Il ne savait plus s'il était Tchouang-Tseu qui venait de rêver qu'il était un papillon ou s'il était un papillon qui rêvait qu'il était Tchouang-Tseu.

LAO-TSEU.

Si je ne me retenais pas, j'enfilerais mes patins à roues alignées et je foncerais au musée en essayant pour une fois de ne pas faire de huit. J'ai toujours aimé dessiner des huit, c'est vrai. Mais il faut que ça cesse. Des huit, il y en a partout dans ma tête, c'est la persistance rétinienne qui veut ça. Chez moi, c'est excessif paraît-il, pas *récessif,* excessif, ça veut dire, m'ont expliqué les médecins, que les images persistent en moi trop longtemps – dans mon cas, des années et des années. Je n'ai pas cherché à savoir si c'était aussi long pour les autres personnes aux prises avec le même mal. Et je ne fais partie d'aucune association anonyme. Chose sûre, j'ai la rétine rancunière. Je dois me méfier des images, de ce que je regarde. Je peux être attaquée de tous côtés, n'importe quand, même au musée, où les images sont pourtant triées sur le volet. Bref, j'ai la rétine traumatique. Mon regard est un terrain miné. Chaque fois que j'entre au musée, j'ai envie de porter un casque bleu. Je dessine souvent pour me débarrasser de certaines images. Des fois, ça marche ; d'autres fois, pas. Mais ce n'est pas tout…

Je peux voir comme ça, en claquant des doigts, des choses qui ne sont pas là, c'est vrai. J'ai des hallucinations. Par exemple, tout de suite, là, oui, maintenant, je peux voir au moins huit choses dans un huit, c'est vrai. Huit, c'est mon fétiche. Ted me taquine en me disant que huit, c'est mon TOC. Je fais presque tout huit fois, c'est vrai. Ça ne me dérange pas que Ted me taquine. C'est mon meilleur ami. Je sais qu'il m'aime comme je suis. Et dans son cerveau aussi, toutes sortes de bibittes grimpent sur les murs. On dirait que l'intérieur de sa tête est tapissé avec des dessins d'Unica Zürn. Unica, c'est notre idole. Moi aussi, je le taquine, Ted. Quand il me raconte ses rêves, un vrai *delirium tremens* ininterrompu, je crie souvent, pour arrêter son film mental qui roule en boucle : « Gregor, sors de ce corps ! » Il faut dire que Ted et moi, on adore la littérature et l'horreur, entre autres *La métamorphose* de Kafka, et les films aussi, qu'on regarde toujours au ralenti afin que Ted puisse me dire si je peux ou pas regarder, à cause de la persistance rétinienne. Il est au courant, Ted. Des fois, il se trompe ; d'autres fois, non. En tout cas, quand je crie : « Gregor, sors de ce corps ! » Ted fait quelque chose d'affreux, qui nous fait chaque fois beaucoup rire. Il fait semblant d'extirper de sa bouche une immense coquerelle, avec des pattes et des mandibules pas possibles. Ça me rappelle toujours une image du *Silence des agneaux,* Ted le sait. Il m'avait dit ce soir-là que je pouvais regarder. C'est une des fois où il s'est trompé. Cette image a persisté sur ma rétine pendant des années. Et je ne pouvais plus voir un papillon, ou même en entendre parler, sans penser à cette scène où un maniaque met dans la cavité buccale de sa pauvre victime une chrysalide. Ce soir-là, dans mon lit, j'ai essayé de rire toute seule pour effrayer les images, pour chasser ces fantômes, les images sont des fantômes, c'est vrai. Des fois, ça marche. Cette fois-là, ça n'a pas marché. Ted s'en voulait. Il m'aime bien. Il prend soin de moi qui suis fragile. Je prends soin de lui qui l'est aussi. Qui ne l'est pas, au fait ? Pour mon anniversaire, je m'en souviens, afin de se faire pardonner de m'avoir à jamais dégoûtée des papillons, que j'adorais avant à cause des ailes qui ressemblent à des tableaux de maîtres, Ted m'a offert le livre de Lao-Tseu dans lequel sont rapportés les enseignements du grand homme, un livre où il y a la petite fable, très jolie, avec Tchouang-Tseu rêvant qu'il est un papillon et qui, en se réveillant, ne sait plus trop qui il est. D'ailleurs, cela arrive souvent à Ted, pas juste à Tchouang-Tseu. Ça n'a pas marché, ce livre. Ça ne m'a pas réconciliée avec les papillons, mais je n'ai jamais oublié la petite fable de Lao-Tseu ni la tendresse de Ted. Souvent, nos rires effraient nos fantômes, car Ted et moi sommes hantés. Pour des raisons différentes, nous sommes hantés. Mais il faudrait que ça cesse.

Non, vraiment, je ne sais pas pourquoi je me retiens de retourner au musée, ça me ferait bouger un peu, ça doit faire huit heures que je suis scotchée à ma table à dessin, à broyer du noir au lieu de broyer mes couleurs. Maudit argent ! Hier, j'ai dépensé toute ma paye chez Omer DeSerres. Chaque semaine, entre mes cours, je donne quelques heures de travail à Omer en échange d'un petit salaire, mais ce petit salaire, je l'investis chez Omer. C'est le capitalisme qui veut ça. Ces jours-ci, c'est la promotion de fin de session. Difficile de résister ! Il y a des filles qui font des folies pour des chaussures et des sacs à main, tout ça pour correspondre à des images. Moi, je craque pour du papier texturé qui coûte une fortune, de la toile de qualité, des pinceaux non synthétiques et des couleurs à couper le souffle. Je me ruine et m'endette. Il faudrait que ça cesse. Fallait que je cache mes sacs à ma mère. Je m'entends très bien avec ma mère, mais elle aimerait que je mette de l'argent de côté pour aller vivre en appartement. Elle a raison. Je ne peux quand même pas rester scotchée à elle toute ma vie. Ma mère veut déménager dans plus petit, avoir un peu d'argent disponible pour voyager. Je la comprends. Je ne lui en veux pas. Je l'aime, ma mère. Elle aussi a le droit d'avoir des images et des rêves plein la tête. Alors, je fais des efforts. Je mets un peu d'argent de côté, ma petite monnaie surtout et les pourboires que je reçois en cachette chez Omer les jours où il me demande de donner des ateliers de peinture à des kids, et que les parents, tout emplis de gratitude, croient que c'est moi qui donne à leurs enfants du talent, alors que ça déborde de partout, que ça leur sort par les trous de nez, aux kids. En tout cas, je vais finir par partir. J'ai vingt ans. Je ne suis plus une enfant. Il m'arrive de l'oublier, c'est vrai. Faut que je fasse une artiste de moi. Il faut que je crée ma vie, et que je laisse ma mère recréer la sienne.

Hier, après ma soirée de travail chez Omer et mes achats, je suis vite rentrée et je me suis engouffrée dans ma chambre avec mon sac à dos qui ne fermait plus et des sacs dans les deux mains. J'ai mis dans le broyeur à papier la folle facture et les jolis emballages. Je me sentais vaguement coupable, c'est vrai, mais je me sentais surtout moins seule au monde avec tous ces pinceaux, ces papiers, ces bâtons de sanguine et de fusain... Oui, je sentais que, près de moi, il y avait quelqu'un, quelqu'un qui voulait m'aider. J'ai mêlé mon nouveau matériel à l'ancien. J'ai même sali ma nouvelle palette à peinture pour faire semblant qu'elle avait déjà servi. J'ai allumé un bâton d'encens et une petite bougie. Moi, je rends un véritable culte à Omer, pas mon petit patron, non, le grand, le patron cosmique. Je lui rends un culte avec incantations, bougies, musique et tout et tout, OM... OM... Omer, ce n'est pas ma mère, Omer, c'est un père pour moi, c'est vrai. Mieux que ça, Omer, c'est le père de la création, dans les deux sens du terme. Omer, c'est un dieu. Après mes incantations, j'ai fait comme Marcel Proust, je me suis couchée de bonne heure. Ça fait longtemps que je fais comme lui, presque tout de suite après le souper, je me couche. Je mets la sonnerie à quatre heures du matin, évidemment quatre, c'est la moitié de huit. Marcel, lui, attendait le baiser de sa mère avant de s'endormir. Moi, je dors comme une enfant que son père aurait bordée avec tendresse. La tendresse, ça m'aide à dormir juste d'y penser.

Au matin, j'ai ma routine. Je vais faire pipi, c'est jaune et joli comme de la peinture à l'eau, je me verse un jus d'orange, je prends des amandes et une banane avant de retourner dans ma chambre. Je m'installe à ma table à dessin. Aujourd'hui, je dois finir mon projet pour l'université. Le prof, c'est vraiment quelqu'un. Avec lui, tout le monde le dit, il faut assurer, livrer la marchandise. Ça n'a rien à voir avec le capitalisme. Et pas question, qu'il m'a dit, le prof, de pasticher Unica Zürn en dessinant des bêtes immondes en forme de huit. Cette fois, ça ne passerait pas. Alors, pour parvenir à créer du nouveau, à sortir enfin de la répétition, je m'extirpe de la cavité du silence. Je sors de l'ombre, je parle. Je fais semblant que le dieu de la création est dans ma chambre. Oui, je fais semblant qu'Omer est là. Je lui parle. Je *vous* parle aussi. Qui êtes-vous ? Connaissez-vous Omer ? Et mon prof, vous voyez qui c'est ?

Je pourrais téléphoner à Ted. Mais je ne veux surtout pas le déranger aujourd'hui, car lui aussi doit terminer son projet. Son film mental a dû se faire aller cette nuit. Je me dis que nous pourrions courser entre les automobilistes exaspérés jusqu'au musée. Il gagnerait, comme toujours, mais c'est Ted, alors quand il gagne, même contre moi, je suis contente pour lui. Mon cœur est capable de battre de cette manière-là, je n'aime pas la compétition, la rivalité. Ted me dit que c'est rare, alors j'en suis fière, même si je n'en parle à personne. Je l'aime, Ted. Mais c'est compliqué l'amour. On s'est embrassés juste une fois. Je m'en souviens, nos langues faisaient des huit. C'était doux. Ça goûtait l'infini et le silence. J'imaginais que nous étions filmés, scotchés l'un à l'autre, avec nos langues tournant en boucle dans la douceur et la tendresse.

C'était la nuit, au bord d'un lac, en camping. Nous avions seize ans. Tous les deux. Huit plus huit. Ça me fait chaud quand j'y pense. Ça faisait huit ans que mon père s'était noyé. Cette nuit-là, j'ai beaucoup parlé de mon père. Je m'étais confiée à Ted sous les étoiles, puis sous la tente. J'entendais les derniers crépitements du feu devant lequel nous avions longuement parlé. C'étaient les crépitements du silence. Ted n'en revenait pas que j'aie parlé autant. À cette époque, il y a quatre ans, il me disait déjà que j'étais sa meilleure amie parce que je ne suis pas toujours en train de parler comme les autres filles. C'est vrai que j'aime ça, le silence, beaucoup même, ma mère me dit que je l'aime trop, et que c'est ma manière de rester liée au silence de mon père. Elle me fait pleurer quand elle me dit ça, mais elle ne me le dit pas pour me faire pleurer. Elle m'aime, ma mère. Elle ne veut pas, c'est simple à comprendre, qu'un trop grand silence s'empare de sa fille.

L'unique nuit où nous nous sommes embrassés, Ted et moi, la lune me rendait encore plus belle sans doute. Et Ted n'a pas pu résister à mon charme, mais il n'a touché que ma bouche. C'est tout. Nous ne sommes jamais allés plus loin. C'est pourtant un de mes meilleurs souvenirs même si nous n'avons jamais recommencé. Il m'a dit cette nuit-là qu'il me raconterait un jour ce qui le hante, de ne pas lui poser de questions, de ne pas lui demander d'explications, de ne pas insister. Je lui ai répondu en l'embrassant à nouveau et en faisant des huit très doux avec ma langue. Je ne lui ai jamais posé de questions, demandé d'explications, ni en vrai ni en rêve. Je l'aime, Ted. Je ne veux pas que le silence s'empare de lui. Alors, je l'écoute toujours avec tout mon cœur au cas où il voudrait me dire quelque chose, même un détail.

Quatre ans sont passés. Nous avons vingt ans. Ted ne m'a toujours rien dit. Ce n'est pas grave. Je l'aime, Ted. C'est mon meilleur ami. Je sais que cela concerne son père. Je le sens. J'en ai eu la certitude il y a quelques jours au musée. Nous sortions, Ted et moi, de l'exposition « La question de l'abstraction » et j'ai entrevu une projection sur un tout petit pan de mur jaune. J'ai lancé : « Ted », puis j'ai fermé les yeux très fort. Ted s'est approché des images pour moi. C'était un film en noir et blanc, un film de type super 8. J'avais eu le temps de voir un homme de dos, en maillot, sur une plage. Même si mes paupières étaient baissées, l'image de cet homme qui semblait s'en aller vers l'eau pour disparaître à jamais, cette image, c'est vrai, persistait sur ma rétine. Je savais que j'en avais pour des années. Ted, en qui j'ai toute confiance, m'a prise par les épaules, il a fait pivoter mon corps alors que j'avais, m'abandonnant à ses gestes, toujours les yeux fermés. Il m'a dit, tout bas, à l'oreille : « Viens, rentrons. » Sa voix tremblait. Elle tremblait beaucoup. J'ai senti qu'il était touché. Je ne lui ai pas posé de questions.

Je ne lui ai pas demandé d'explications. Nous aimons le silence, Ted et moi. J'ai senti de l'eau se mêler aux images fixées sur ma rétine, les images artistiques du film et celles traumatiques de mon enfance.

Aujourd'hui, si je ne me retenais pas, j'enfilerais mes patins à roues alignées et je foncerais au musée en essayant, pour une fois, de ne pas faire de huit. J'ai toujours aimé dessiner des huit, c'est vrai. Mais il faut que ça cesse. J'irais regarder – sans Ted et sans fermer une seule fois les yeux – les images projetées sur ce petit pan de mur jaune, les images de ce film super 8.

Je mettrais fin à l'infini.

Une rose sans pourquoi

À *Nadine*
À *la mémoire de Monique Bosco*

Le silence éternel de ces espaces
infinis m'effraie.

Blaise PASCAL.

La rose est sans pourquoi, elle
fleurit parce qu'elle fleurit. N'a
pour elle-même aucun soin – ne
demande pas : suis-je regardée ?

Angelus SILESIUS.

Dans ce minuscule appartement, donnant sur une impasse non dénuée de charme, des meubles, des livres, une collection de masques, des objets liturgiques du monde entier, tout défie les lois, soi-disant immuables, de la physique et celles, non moins immuables soi-disant, du sens commun. Pourtant, rien n'y est en désordre, mis à part, certains jours, et encore ce n'est pas sûr, l'esprit de la propriétaire des lieux, Irène. Ainsi lorsque, pour se dégourdir les jambes, Irène, professeure retraitée et historienne des religions, une historienne sans histoires, sort une heure, il n'est pas rare que sa chaise droite et sa table de travail profitent de l'occasion pour se dégourdir les pattes, avant de reprendre leur place en tentant, mais n'y parvenant jamais tout à fait, de respecter la manie de l'ordre de leur propriétaire. Dès qu'elle rentre, Irène ne manque pas de constater que ses choses ont bougé en son absence ; plus encore, que des vocalises très douces s'en échappent, ce qui, chaque fois, l'effraie un peu, mais elle se contente de mettre ces déplacements sur le compte de la rotation terrestre, et ces vocalises sur le compte de ses acouphènes. En vérité, ce ne sont pas les choses – qu'elles se meuvent ou pas, qu'elles parlent ou se taisent – qui effraient le plus Irène, mais le silence éternel des espaces infinis, cet abandon.

C'est pourquoi Irène n'avait pu se résoudre à choisir un grand appartement. Elle avait dû se rendre à l'évidence : depuis dix ans qu'elle était retraitée – de plus en plus isolée, de plus en plus seule –, son âme s'était rapprochée plus encore, si c'était possible, de celle de Blaise Pascal, de sa main tremblante dans le Grand Tout. Elle avait même commencé, à l'image d'une adolescente – elle qui ne s'était jamais moins intéressée à quelqu'un qu'à elle-même –, à tenir un journal intime, un journal bien singulier, du reste : sans dates, sans *je,* sans histoires, sans anecdotes. Elle l'avait intitulé *Journal d'une rose sans pourquoi.* Elle y consignait, dans une espèce de prose lyrique et maladroite, des envolées et des visions oniriques ainsi que des expériences, de plus en plus frénétiques, d'expansion océanique. « Ma pauvre tête prend le large », se disait-elle parfois, sa tête qui avait à son actif trois doctorats, des livres, une somme impressionnante de conférences et d'articles… Ses visions, ses rêves étranges et ses expériences d'expansion étaient peut-être le fruit d'un isolement trop grand. Elle le croyait certains jours. Elle devrait peut-être chercher à y remédier. Elle pourrait lancer une petite annonce dans le cosmos, oui, chercher un compagnon, voire une compagne, construire de nouvelles amitiés, mais elle ne savait plus comment s'y prendre. Plus encore, elle avait la conviction que personne ne pouvait véritablement s'intéresser et s'attacher à une femme comme elle. Enfin, Irène se consolait comme elle le pouvait de sa solitude. Fort heureusement, la connaissance qu'elle possédait des pratiques cultuelles du monde, sa riche expérience de l'enseignement et ses dons de pédagogue faisaient encore d'elle une référence aux yeux de plusieurs. Si ses principales joies se trouvaient dans la lecture, la prière et la musique, elle avait encore celles que lui procuraient les visites chaleureuses de jeunes universitaires (en histoire, en anthropologie, en arts, en philosophie, en littérature, en sociologie...), prenant rendez-vous pour venir l'écouter parler des hommes-oiseaux de lointaines peuplades, des masques africains qu'elle collectionnait depuis plus de cinquante ans, des femmes terrifiantes de l'Histoire sainte, femmes auxquelles elle avait consacré l'une de ses thèses, du culte des ancêtres et de mille autres choses. Si la santé de ses jambes ne lui permettait plus de quitter son appartement que pour de brèves promenades dans son quartier – promenades au cours desquelles elle avait pris l'enivrante habitude, pour faire reculer l'horizon, de penser à Kant et à son concept de *sublime* –, le fait de parler de longues heures et celui d'écouter parler tout aussi longtemps ne la fatiguaient pas le moins du monde. La parole large et la longue écoute lui permettaient sans nul doute de se sentir encore partie constitutive du Grand Tout. Cela dit, il n'y avait pas que de jeunes universitaires qui venaient la visiter. Plusieurs des étudiants et des étudiantes qu'elle avait dirigés à la maîtrise ou au doctorat, aujourd'hui historiens, professeurs, écrivains, archivistes, se souvenaient de sa verve et de sa capacité d'écoute, et l'invitaient à boire le thé, à voir une exposition, à assister à une conférence, tout cela « pour que la fête neuronale continue », disaient-ils plaisamment, reprenant les mots si souvent lancés en classe et à l'orée des séminaires par leur ancienne professeure. Ils se rendaient aussi chez elle, dans son minuscule appartement de la toute petite rue Édouard-Charles. Ils taquinaient souvent Irène en lui disant qu'elle avait choisi une rue un peu à son image, entre deux mondes, une rue inclassable, un peu anonyme en dépit de son nom aux connotations princières. À chacune de leurs visites, ils s'étonnaient à haute voix de l'ordre qu'Irène parvenait à maintenir dans son minuscule appartement, en dépit de la quantité effarante de livres, de masques, de lampes étranges, de gravures et d'objets de toutes sortes qu'elle avait rapportés de ses nombreux voyages, reçus en cadeaux ou fabriqués de ses mains, Irène étant un peu artiste à ses heures, surtout la nuit. Toutes ces visites ne manquaient pas de la toucher, elle qui sentait qu'en cela, l'attraction cérébrale n'expliquait peut-être pas tout, et que le cœur y était pour quelque chose. Ainsi, des êtres pouvaient éprouver à son égard quelque chose qui ressemble à de l'affection, une affection qui n'était commandée par aucun lien du sang, par aucune obligation professionnelle ou morale, par aucun appât du gain – Irène n'ayant jamais caché qu'elle léguait, par testament, en bonne et due forme, tous ses trésors à l'université, et qu'elle faisait de surcroît don de son petit appartement à cette même université pour le bénéfice d'étudiants de troisième cycle. Ses visiteurs étaient devenus des amis, et les plus sensibles et perspicaces, ceux qui étaient conscients qu'ils vieilliraient à leur tour, ceux qui ne se croyaient pas au-dessus de la mêlée, sentaient en écoutant Irène, qui pourtant ne se plaignait jamais, combien le corps humain peut devenir une prison pour un esprit de feu. Néanmoins, leur compassion ne les abattait pas. Ils ressortaient de chez Irène galvanisés, avec un livre, un masque, une gravure, un article, voire un objet sacré. Toujours, ils promettaient de revenir, de tout rendre. Toujours, ils tenaient parole.

Pour le reste, la vie d'Irène n'était que solitude à peu près consentie, solitude qu'elle exhaussait, d'une voix de plus en plus chevrotante, grâce à des rituels et à des chants religieux empruntés à des peuples sur le point de s'éteindre ou déjà éteints. «Étrange femme que cette Irène», pensaient ses anciens étudiants, en refermant sur eux la porte du petit appartement de la rue Édouard-Charles, une femme qui, selon toute vraisemblance, ils le voyaient bien, n'arrivait ni à croire ni à ne pas croire, ni à prier ni à ne pas prier, ni à vivre avec quelqu'un ni à vivre seule. Leur réflexion ne pouvait guère aller plus loin, car Irène se livrait peu, croyant n'avoir rien à livrer, pas même au sein du *Journal d'une rose sans pourquoi.* Sa seule force, si c'en était une, ayant peut-être tenu au fait de ne se soucier qu'assez peu de son bonheur et de son bien-être. Les rares fois où elle s'était un peu intéressée à ces questions du *je* et du *moi,* elle en était venue à la conclusion qu'elle était un objet impensable, un livre à venir, un visage à inventer – d'ailleurs, cela en disait long, il n'y avait toujours eu qu'un seul miroir dans son appartement, et encore était-il caché derrière une porte. Irène, même à l'heure lointaine de sa beauté et de sa jeunesse, ne s'y regardait presque jamais, et moins encore depuis dix ans qu'elle n'avait plus à se rendre en classe. Au fil du temps, Irène s'était vraiment fait une petite sœur de la rose de Silesius, cette rose sans pourquoi, sans souci d'elle-même, ne désirant être vue.

Aujourd'hui, en ce quinzième jour du mois de mai, Irène a quatre-vingts ans. Ce matin, dans son journal, elle n'a pas noté la date, mais elle a parlé au *je* pour la première fois. *Je crois que si un être humain me regardait avec cette attention si rare sur la Terre, cette attention que je n'ai jamais désirée ni reçue, il pourrait voir en moi s'avancer un printemps auroral malgré le passage de toutes les saisons sur mon corps flétri.* Puis, elle a refermé son journal, pressentant qu'elle venait d'y consigner sa toute dernière entrée, non pas qu'elle sentît sa mort approcher, bien au contraire. Irène se sentait renaître ! Elle entendait ses vieux parents, aujourd'hui disparus, lui chanter « Bonne fête… » – ah ! si ses acouphènes pouvaient être toujours aussi tendres… Elle devenait aujourd'hui, enfin, un objet à penser, un livre à écrire, un visage à inventer. Rien à voir avec les ambitions, trop souvent petitement narcissiques, des ouvrages de croissance personnelle ! Irène, elle le sentait, venait, tout en disant *je,* de faire un bond hors de l'espace cérébral. Il s'était passé quelque chose d'impersonnel. Elle l'avait senti en traçant les lettres de sa dernière entrée, puis au moment de refermer son journal. Pour la première fois de sa vie, elle avait eu ce matin plus qu'une conviction ou qu'une connaissance : une certitude. Il y avait *Quelqu'un.* Ce *Quelqu'un* recelait, elle le sentait, la grandeur qu'elle avait toujours recherchée : celle de l'anonymat. Voilà qui ravissait, en ce jour d'anniversaire, cette rose sans pourquoi, sans souci d'elle-même, ne désirant être vue. *Quelqu'un,* même s'il ne répondait pas, même s'il ne la prenait pas dans ses bras, même s'il ne lui chantait pas « Bonne fête… », *Quelqu'un,* oui, c'était mieux que le silence éternel des espaces infinis. Un tout nouveau sourire montait aux lèvres d'Irène. « Vous vivez toujours seule ? » lui demanderait tôt ou tard l'un de ses anciens étudiants, en apercevant ce nouveau sourire. « Non, je vis seule… avec *Quelqu'un* », s'entendait-elle déjà répondre. Désormais, les espaces infinis n'effraieraient plus Irène, ni le mouvement des astres, ni les chants très doux et les déplacements des meubles de son appartement, ni les rotations de son petit cœur dans le Grand Tout, ni l'affection que certains êtres pouvaient éprouver pour elle, ni l'affection qu'elle pouvait éprouver pour eux. Et le soir, après ses prières empruntées aux plus beaux livres sacrés du monde, elle saurait enfin, elle le sentait, se tenir, en repos, dans sa chambre. Irène ne serait plus seule. Elle avait depuis le matin la certitude qu'il lui arriverait de moins en moins souvent, la nuit venue, de chercher à cueillir, entre les draps froids des siècles et des siècles, la main toute tremblante de Pascal. Il y aurait *Quelqu'un*.

Parmi les nouvelles réunies ici, celles ayant été publiées dans diverses revues ont toutes été modifiées. Certaines ont même fait l'objet d'une réécriture importante.

« Une sur trois » a paru dans *XYZ,* n° 95, 2008 ; « Dernière séance » (finaliste aux prix littéraires de Radio-Canada en 2009-2010), dans *Mot Dit,* n° 7, 2014 ; « Un autre hiver » (prix du 22ᵉ concours de *XYZ*) a paru, accompagnée d'une présentation d'Esther Croft, dans le n° 111 de la revue, en 2012 ; « L'edelweiss » a reçu une mention du jury aux prix littéraires de Radio-Canada en 2012-2013 et a été rendue publique sur le site de Radio-Canada ; « Effraction » a paru dans *Mot Dit,* n° 6, 2011 ; « Un bonheur invisible », dans les nᵒˢ 53-54 d'*Étoiles d'encre,* 2013 ; « Chœurs » a paru dans *Contre-jour,* n° 31, 2013 ; « Lettre à mon frère Vincent », dans *Art Le Sabord,* n° 94, 2013 ; « Le pot aux langues », dans *Virages,* n° 64, 2012 ; « Braconnage » a reçu une mention du jury aux prix littéraires de Radio-Canada en 2011-2012 avant de paraître dans *Zinc,* n° 28, 2012 ; « Porter plainte » a paru dans *XYZ,* n° 92, 2007 ; « Les taies », dans *XYZ,* n° 55, 1998 ; « Super 8 » a paru dans *Art Le Sabord,* n° 93, 2012 ; « Une rose sans pourquoi », dans *Mœbius,* n° 35, 2012.

Remerciements

Au fil des ans, plusieurs personnes – amies et amis, parents, collègues, étudiantes et étudiants – m'ont fait l'amitié de lire mes textes et de les commenter afin d'aiguiller mon travail. Que ces personnes se sentent ici *très chaleureusement* remerciées. Elles ont toute ma gratitude.

Un merci tout particulier à Mme Geneviève Désilets pour sa révision linguistique rigoureuse d'une version antérieure du recueil ainsi qu'à Mme Caroline Rivest pour la lecture très stimulante de cette même version.

La parution de mon tout premier recueil à L'instant même est pour moi la concrétisation d'un grand rêve.

Merci de tout cœur à Mme Marie Taillon, à M. Gilles Pellerin et à M. Philippe Mottet pour leur travail infatigable afin que soit lu et apprécié le « petit genre ».

Sylvie Gendron, 2014

ACHEVÉ D'IMPRIMER
EN MAI 2014
SUR LES PRESSES DE MARQUIS IMPRIMEUR INC.

MARQUIS

Québec, Canada

RECYCLÉ
Papier fait à partir
de matériaux recyclés
FSC® C103567

Imprimé sur du papier Enviro 100% postconsommation
traité sans chlore, accrédité ÉcoLogo et fait à partir de biogaz.